STIMME DES MONDES

D1732459

Caroline Smith / John Astrop

Stimme des Mondes

Ein Orakelspiel

AURUM

Für Dotty Smith, Carolines Widder Mond Mutter,
und Kitty Astrop, Johns Jungfrau Mond Mutter.

Die englische Originalausgabe erschien unter dem Titel „The Moon Oracle"
bei Connections Books Publishing, London.

Ins Deutsche übersetzt von Dr. Verena Moser
Umschlaggestaltung: Jutta Kümpfel

Die Deutsche Bibliothek – CIP-Einheitsaufnahme
Ein Titeldatensatz für diese Publikation
ist bei Der Deutschen Bibliothek erhältlich.

2000
ISBN 3-591-08467-0
© Text 1999 John Astrop und Caroline Smith
© Illustrationen 1999 Caroline Smith
© der Originalausgabe 1999 Eddison Sadd Editions
© der deutschen Ausgabe Aurum Verlag GmbH, Braunschweig
Printed in China

INHALT

EINLEITUNG

Kaum etwas, das wir täglich sehen, inspiriert uns so sehr wie der Mond, dieser schöne Satellit unseres Planeten. In allen Kulturen der Welt gibt es Legenden und Omen, die mit seinen unterschiedlichen Phasen in Verbindung gebracht werden.

In der Sonne, die täglich auf- und wieder untergeht, erkannten die Menschen der Urzeit etwas Verlässliches und Vorhersagbares, ein Muster, auf dem die Jahreszeiten aufbauen und an dem man einen Kalender orientieren kann. Die Natur des Mondes war sehr viel geheimnisvoller. Im Vergleich zur Sonne erschien der Mond den frühen Menschen als seltsame und mystische Kreatur, als etwas, das sich ständig verändert und das keinem offensichtlichen Erscheinungsmuster folgt. In der einen Nacht ist er voll und rund, in der anderen eine dünne Sichel; gelegentlich steht er hoch am Himmel, zu anderen Zeiten tief über dem Horizont. Noch befremdlicher ist die Tatsache, dass manchmal selbst am Tage ein bleicher Mond am Himmel auftaucht und die Sonne herausfordert, während er in manchen Nächten überhaupt nicht zu sehen ist. Es ist also kein Wunder, dass Luna seit jeher die Herzen der Menschen in ihren Bann gezogen hat.

Der Einfluss des Mondes

Der Mond hat einen gewaltigen Einfluss auf unser Leben und die meisten von uns sind sich dessen auch durchaus bewusst. Nicht umsonst sind in fast allen Taschenkalendern zumindest Neumond und Vollmond für jeden Monat angegeben. Viele Menschen gärtnern nach dem Mond, indem sie während der „richtigen" Mondphasen säen, beschneiden und ernten, und Wettervorhersagen, die auf der Beobachtung des Mondes beruhen,

sind mindestens so gut wie die „wissenschaftlicheren" Wetterberichte.

Bleicher Mond tut regnen,
Roter Mond tut weh'n,
Weißer Mond tut weder regnen noch schnei'n.

Nach einem lateinischen Sprichwort (Clarke, 1639)

Dem Mond wird nachgesagt, dass er uns verrückt macht, liebestoll, dass er Menschen in Werwölfe verwandelt und unser Leben allgemein seinen schwankenden Rhythmen anpasst.

Das hat wahrhaftig nur der Mond verschuldet;
Er kommt der Erde näher, als er pflegt,
Und macht die Menschen rasend.

Shakespeare, Othello, 5. Aufzug, 2. Szene

Das Argument, das von wissenschaftlicher Seite gern gegen die Astrologie vorgebracht wird, nämlich dass die Planeten unser Leben nicht beeinflussen können, weil sie zu weit entfernt sind, ist nur schwer aufrechtzuerhalten, wenn es um den Mond geht. Es ist unbestreitbar, dass der Mond die Gezeiten beeinflusst und dass er darüber einen starken Einfluss auf die Wassermassen dieses Planeten ausübt. Da unsere Körper ebenfalls hauptsächlich aus Wasser bestehen, ist es berechtigt anzunehmen, dass der Mond auch unser Verhalten beeinflusst, und es werden immer mehr ernstzunehmende Forschungen betrieben, um dies nachzuweisen.

DIE MONDPHASEN

Der Mond braucht 29,53 Tage, um seinen Kreislauf um die Erde einmal zu vollenden. Das wird als Mondmonat bezeichnet. Die

Mondphasen vom Neumond oder Schwarzmond bis zum Vollmond entstehen durch die Sonne, die immer nur eine Seite des Mondes beleuchtet, während die andere Seite im Dunkeln bleibt. Die Form des Mondes, die wir in einer bestimmten Phase seines Kreislaufes wahrnehmen, wird von seiner Position in Relation zu den Positionen von Erde und Sonne bestimmt.

Die Symbolik der Mondphasen

Der Mondkreislauf kann sehr gut mit der Entwicklung einer Pflanze verglichen werden: von ihrem anfänglichen Wachstum aus dem Samenkorn, über das Hervorbringen von Blüten und Früchten zum langsamen Absterben der Blätter und Blüten und dem Ausstreuen neuer Samen, die bis zum nächsten Frühling schlafend in der Erde liegen.

8. NEUMOND ODER SCHWARZMOND

Am Ende seines Kreislaufes befindet sich der Mond genau zwischen der Erde und der Sonne. Daher ist seine uns zugewandte Seite völlig dunkel und wir können ihn überhaupt nicht sehen. Wenn Erde, Mond und Sonne genau auf einer Linie liegen, entsteht eine Sonnenfinsternis.

1. SICHELFÖRMIGER MOND

Der Mond beginnt seine Reise, indem er nach Osten kreist. Nach etwa drei Tagen wird seine sonnenbeschienene rechte Seite als schmale Sichel sichtbar. Während der Mond sich immer weiter enthüllt, wird er als zunehmend bezeichnet.

7. BALSAMISCHER MOND

Gegen Ende seiner Reise erscheint die linke Seite des Mondes als schmale Sichel. Diese Phase wird balsamischer Mond genannt.

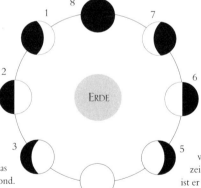

2. MOND IM ERSTEN VIERTEL

In den nächsten dreieinhalb Tagen wächst die Sichel, bis die ganze rechte Hälfte des Kreises zu sehen ist. Der Mond hat sich jetzt um neunzig Grad bewegt und das erste Viertel seiner Reise zurückgelegt.

6. MOND IM LETZTEN VIERTEL

Nach einigen Tagen ist der Mond wiederum halb hell und halb dunkel, doch diesmal liegt die beleuchtete Hälfte auf der linken Seite. Der Mond ist im letzten Viertel seiner Reise angelangt.

3. BUCKLIGER MOND

Der Mond nimmt weiter zu, bis drei Viertel der Mondscheibe sichtbar sind. Wir bezeichnen das als buckligen Mond.

5. SCHWINDENDER MOND

Der Mond beginnt jetzt die zweite Hälfte seines Kreislaufes und verdunkelt sich dabei allmählich wieder. Er wird jetzt als abnehmend bezeichnet. Dreieinhalb Tage später ist er kein perfekter Lichtkreis mehr. Diese Phase wird als schwindender Mond bezeichnet.

4. VOLLMOND

In den folgenden Nächten wird der bucklige Mond immer runder und bewegt sich immer weiter, bis er schließlich als voller Kreis der Sonne direkt gegenüber steht.

1. Sichelförmiger Mond – das Auftauchen der ersten Triebe, die zu Beginn des Frühlings die kalte harte Erde durchbrechen

2. Mond im ersten Viertel – die Entwicklung der Blätter, die sprießen, während die Pflanze Kräfte sammelt

3. Buckliger Mond – Die Pflanze nimmt mehr Nahrung und Sonnenlicht auf und bildet Knospen.

4. Vollmond – Die Knospen öffnen sich in der reichlichen Wärme des Sonnenlichts und die Pflanze blüht.

5. Schwindender Mond – Die Blütenblätter der Blumen verblühen und werden durch reife Früchte ersetzt.

6. Mond im letzten Viertel – Die Blätter und übriggebliebenen Blüten fallen ab und lassen nur die trocknenden Samenkapseln zurück.

7. Balsamischer Mond – Die Samenkapseln brechen auf und die Samenkörner fallen auf die Erde.

8. Neumond oder Schwarzmond – Die Erde nimmt die Samen auf, die den Winter über schlafend in ihr liegen.

Wir sind alle in einer bestimmten Mondphase geboren und bringen einen Teil unserer Natur in einer Weise zum Ausdruck, die den Eigenschaften dieser Phase entspricht. Beispielsweise tun sich Menschen, die in der Phase des sichelförmigen Mondes geboren wurden, oft als Initiatoren und Trendsetter hervor. Menschen, die bei Vollmond geboren wurden, stehen gern im Rampenlicht, während in der Phase des balsamischen Mondes Geborene die Samen für eine Zukunft legen, die sie vielleicht selbst nie erleben werden.

Mit Hilfe eines genau berechneten Horoskops und einer Horoskopzeichnung können Sie die Mondphase zum Zeitpunkt Ihrer Geburt ermitteln. Sie ergibt sich aus dem Stand des Mondes im Verhältnis zur Sonne.

Wenn der Mond beispielsweise zwischen 90 und 135 Grad von der Sonne entfernt steht (er bewegt sich gegen den Uhrzeigersinn durch den Tierkreis), ist er in Phase 2, erstes Viertel. Wenn Sie die Mondphase, in der Sie geboren wurden, bereits kennen, werden Sie möglicherweise jeden Monat erneut feststellen, dass Ihnen die Dinge leichter von der Hand gehen, wenn der Mond „Ihre" Phase erreicht. Das Gegenteil könnten Sie erleben, wenn sich der Mond in Opposition zu Ihrer Geburtsmondphase befindet.

Ähnlich wie Menschen, die in einer bestimmten Mondphase geboren wurden, die Qualitäten dieser Phase verkörpern, haben auch Ereignisse, die in einer bestimmten Mondphase stattfinden, die Qualität dieser Zeit. Daher passen manche Aktivitäten besser zu bestimmten Mondphasen als andere. Der Vollmond zum Beispiel ist die beste Zeit, um Projekte ihrer perfekten Vollendung entgegenzuführen, während es zur Zeit des Neumondes besser ist, Dinge ruhen zu lassen und abzuwarten, bis die Zeit reif dafür ist. Die Metaphysik jeder Phase ist einfach zu verstehen und kann in Bezug auf die gestellte Frage schnell praktisch umgesetzt werden.

Mondphasen und Persönlichkeit

1. Sichelförmiger Mond

Wenn Sie zu den Menschen gehören, in deren Geburtshoroskop der Mond 45 bis 90 Grad von der Sonne entfernt steht, haben Sie einen starken Handlungsdrang und das Bedürfnis nach Selbstbehauptung. Es herrscht der Wunsch vor, sich in neue Projekte zu stürzen, hinter dem oft das Bedürfnis steht, der Vergangenheit zu entfliehen. Es gibt Momente, in denen Sie sich von Erfahrungen überwältigt fühlen, die Sie sehr früh im Leben gemacht und in Ihrem Unbewussten gespeichert haben.

In der Phase des sichelförmigen Mondes wurden geboren: Franz Liszt, John F. Kennedy, Andrew Carnegie, Bob Geldorf, Mary MacArthur, Indira Gandhi

2. MOND IM ERSTEN VIERTEL

Wenn der Mond in Ihrem Horoskop 90 bis 135 Grad von der Sonne entfernt steht, brauchen Sie wichtige Aufgaben und eine leitende Position, um motiviert zu sein und sich ausgefüllt zu fühlen. Sie sind in der Lage, sich innerhalb eines festen Rahmens eine sichere Zukunft aufzubauen, aber es macht Sie auch glücklich, alte, überkommene Strukturen verschwinden zu sehen, damit neue und bessere an ihre Stelle treten können. Sie sind nicht so sehr ein Träumer, sondern eher jemand, der Dinge ins Leben ruft.

Bei Mond im ersten Viertel wurden geboren: Joseph Stalin, Oliver Cromwell, Baudelaire, Germaine Greer, Shirley MacLaine, Grace Kelly

3. BUCKLIGER MOND

Steht der Mond in Ihrem Horoskop 135 bis 180 Grad von der Sonne entfernt? Dann ist Ihnen persönliches Wachstum wichtig. Sie haben das Bedürfnis, etwas Sinnvolles und Wertvolles in die Welt zu tragen, und sind bereit, auf dieses Ziel hinzuarbeiten. Für Sie kommt es darauf an, ein klares Ziel im Leben zu haben, und Ihr messerscharfer Verstand konzentriert sich auf Ideen, die einem wertvollen Zweck dienen.

In dieser Mondphase wurden geboren: Lord Byron, George Gershwin, Isaac Newton, Franklin D. Roosevelt, Christian Dior, Luciano Pavarotti

4. VOLLMOND

Wenn Sie bei Vollmond oder bis zu dreieinhalb Tage nach Vollmond geboren wurden und der Mond in Ihrem Horoskop der Sonne gegenüber steht, haben Sie das Bedürfnis, im Rampenlicht zu stehen, für Ihre Errungenschaften anerkannt zu werden und zu erleben, wie diese Errungenschaften Einfluss auf die Welt nehmen. Vollmondtypen haben einen klaren Sinn für das Verhältnis zwischen persönlichen und sozialen Faktoren.

Bei Vollmond wurden geboren: Rudolf Steiner, Jeanne d'Arc, Krishnamurti, General Franco, Tina Turner, Kirk Douglas

5. SCHWINDENDER MOND

Alle Menschen, die dreieinhalb bis sieben Tage nach Vollmond geboren wurden und in deren Horoskop sich der Mond in einer Entfernung von 135 bis 90 Grad wieder auf die Sonne zu bewegt, verfügen über die Fähigkeit, ihr Wissen und ihre Erfahrungen praktisch einzusetzen. Wenn Sie in dieser Mondphase geboren wurden, sind Sie möglicherweise auch sehr erfolgreich, wenn es darum geht, Werbung für andere zu machen. Sie sind eine Art Propagandist und können alles populär machen, was Sie für wertvoll erachten.

Bei schwindendem Mond wurden geboren: Adolf Hitler, Carl Gustav Jung, Dante Alighieri, Whitney Houston, Olivia Newton-John, Bill Clinton

6. MOND IM LETZTEN VIERTEL

Wenn Sie dreieinhalb bis sieben Tage vor Neumond geboren wurden und der Mond in Ihrem Horoskop 90 bis 45 Grad von der Sonne weg steht, haben Sie das Bedürfnis, Ihre ideologischen Überzeugungen in Ihr tägliches Leben zu bringen. Sie neigen dazu, in persönlichen und sozialen Beziehungen an Einstellungen und Prinzipien festzuhalten, deren Aufrechterhaltung Sie sich verpflichtet fühlen. Sie sind bereit, an einer Zukunft zu arbeiten, die Sie vielleicht selbst nie erleben werden.

Bei Mond im letzten Viertel wurden geboren: Mahatma Ghandi, Wladimir Iljitsch Lenin, Billie Jean King, Walt Disney, Oprah Winfrey, Billie Holliday

7. Balsamischer Mond

Wenn Sie an einem der dreieinhalb Tage vor Neumond geboren wurden, besitzen Sie einen beinahe prophetischen Sinn für die Zukunft. Sie haben vielleicht einen starken Sinn für Ihre soziale Bestimmung und das deutliche Gefühl, dass Sie sich auf Ihr Lebensziel zu bewegen. Ihre Gefühle sind ziemlich stark und Ihre intuitiven Fähigkeiten gut entwickelt.

Bei balsamischem Mond wurden geboren: Robespierre, Kant, Abraham Lincoln, Cecil Rhodes, Georgio Armani, Steffi Graf

8. Neumond oder Schwarzmond

Wenn Sie bei Neumond und bis zu dreieinhalb Tagen danach geboren wurden, sind Sie subjektiv, impulsiv und emotional in Ihren Beziehungen zu anderen und zur Gesellschaft allgemein. Sie werden oft Schwierigkeiten haben, zwischen Ihren Träumen und der Realität zu unterscheiden. Das kann dazu führen, dass die Menschen um Sie herum so werden, wie Sie sie wahrnehmen, auch wenn sie eigentlich ganz anders sind. Sie sind ein Initiator, der alles beeinflusst, was ihn oder sie umgibt. Was Sie heute tun, werden andere morgen tun. Sie mögen den Neubeginn. Und falls ein Neubeginn erfordert, dass Sie eine Menge alten Müll wegwerfen müssen, ist es um so besser.

Bei Neumond wurden geboren: Sigmund Freud, Königin Victoria, Woodrow Wilson, Karl Marx, Annie Lennox, Harrison Ford

Die Elemente

Die vier Elemente Feuer, Erde, Luft und Wasser stehen in der Astrologie, aber auch in anderen symbolischen Systemen für die Qualitäten der kreativen, der materiellen, der mentalen und der emotionaler Aktivität.

Der Tierkreis ist in 12 Segmente von jeweils 30 Grad unterteilt und auch der Mond bewegt sich auf seinem Weg um die Erde durch diese Tierkreiszeichen. Er braucht etwa zweieinhalb Tage, um ein Zeichen zu durchlaufen und einen Mondmonat für die Reise durch alle zwölf Zeichen. In jeder der acht Mondphasen steht der Mond in einem anderen Tierkreiszeichen und dieses Zeichen bestimmt, welches der vier Elemente die jeweilige Mondphase beherrscht.

Feuer	–	Widder, Löwe, Schütze
Erde	–	Stier, Jungfrau, Steinbock
Luft	–	Zwillinge, Waage, Wassermann
Wasser	–	Krebs, Skorpion, Fische

Gedanken zum Element Feuer

Den Begriff Kreativität bringen viele Menschen nur mit Kunst in Verbindung, aber er ist viel umfassender. Wir sind alle kreativ in dem Sinne, dass wir daran beteiligt sind, Dinge geschehen zu lassen, aus nichts etwas zu machen oder dass wir eine Vision davon haben, was sein könnte, und Energie aufwenden, um diese Möglichkeit Realität werden zu lassen. Jeder Mensch ist in einem gewissen Maß kreativ. Wenn Geschäftsleute einen potentiellen Markt entdecken und sich daran machen, die Ware oder die Dienstleistung anzubieten, die bis dahin nicht verfügbar war, sind sie kreativ. Wann immer Sie eine Handlung initiieren, den Ball ins Rollen bringen oder sich dafür verantwortlich fühlen, Pläne in die Tat umzusetzen, setzen Sie Ihre Kreativität ein. Sie aktivieren das Feuerelement in sich. Die visionäre Qualität aller kreativen Handlungen deutet an, dass Feuer Intuition bedeutet und das Wissen um etwas, bevor es geschieht.

Themen des Feuers: kreative Tätigkeit, der Beginn von Projekten, in Wettbewerb treten, Enthusiasmus, Aufregung, Übertreibung, Spielen, Leidenschaft, Angeben, Unterhalten. Die Mondphasenkarten des Feuers sind rot.

GEDANKEN ZUM ELEMENT ERDE

Das Element Erde umfasst alles, was konkret und greifbar ist: das eigene Haus oder die Wohnung, Geld, Grundstücke, Besitz und Gewinn. Es bezieht sich auch auf Ihren Körper – Ihr Aussehen, die Kleidung, die Sie tragen, das Essen, das Sie zu sich nehmen, und natürlich auf Ihre Gesundheit. Unser Stammesinstinkt ist stark und in dem Maße, in dem wir andere Menschen besitzen und sie als Angehörige ansehen, steht Erde für Familie, Freunde, Kinder und Kollegen. Erde stellt alles dar, was das Potential besitzt, zu etwas Größerem zu wachsen. Sowohl das Bauen von Häusern als auch der Aufbau von Unternehmen und Imperien gehört zum Element Erde. Erde steht für Autorität, soziales Ansehen, Fähigkeiten und Errungenschaften.

Themen der Erde: System, Gesetz, Routine, Geschäfte, Kaufen, Versicherung, Hypotheken, Ersparnisse, Erbe, Tradition, Herkunft, Bauen, Gärtnern, Landwirtschaft, Bankgeschäfte.

Die Mondphasenkarten der Erde sind grün.

GEDANKEN ZUM ELEMENT LUFT

Das Element Luft steht mit dem Intellekt in Verbindung, mit Ideen, logischem und imaginärem Denken, mit Lehren, Lernen, Kommunikation und allem, was mit Schreiben, den Medien, Verträgen und Vereinbarungen zu tun hat. Luft schließt auch die unbeschwerteren Formen des sozialen Kontakts ein – Parties, Treffen mit Freunden, gesell-schaftliche Anlässe, Feiern, Zusammenkünfte und so weiter. Da Luft mit Kommunikation zusammenhängt, bezieht sie sich auch auf Telefongespräche und schriftliche Korrespondenz sowie auf alle Arten von Bewegung und kurze Reisen. Luft beherrscht auch geistige Reisen im weitesten Sinne: Lernen, Weiterbildung, die Arbeit der Medien und des Fernsehens.

Themen der Luft: Ideen, Erfindungen, Verstand, Konzepte, Vielseitigkeit, Lehrtätigkeit, Gespräche, Diskussionen, Verträge.

Die Mondphasenkarten der Luft sind gelb.

GEDANKEN ZUM ELEMENT WASSER

Wasser repräsentiert den emotionalen Aspekt unseres Lebens: Liebe, Hass, Verlangen, Abscheu, Vergnügen, Schmerz. Dieses Element hat damit zu tun, wie wir uns fühlen. Enge emotionale Bindungen, die Familie, Geliebte, Rivalen, ja sogar Feinde gehören zum Wasser. Wasser symbolisiert Vorahnungen, Ängste, Erinnerungen und Sehnsüchte und vor allem das Unbewußte. Es spielt daher auch bei Themen eine Rolle, die anderen Elementen zugeordnet sind. Die Symbolik des Wassers spiegelt die Art wider, in der Sie sich immer wieder neu formen und Ihre Gefühle der Situation anpassen, in der Sie gerade sind, genau wie Wasser sich dem Gefäß anpasst, in dem es sich gerade befindet. Wie Wasser fließen Gefühle hin und her, kommen und gehen, umspülen Hindernisse und schwierige Situationen und, vor allem, versiegen nie ganz. Das Bild vom Wasser, das auch den härtesten Stein auswäscht, deutet an, dass dies das ausdauerndste und mächtigste aller Elemente ist.

Themen des Wassers: Liebe, Hass, Wut, Empfindsamkeit, Sympathie, Achtsamkeit, Zärtlichkeit, Enttäuschung.

Die Mondphasenkarten des Wassers sind blau.

Die Mondphasenkarten

Es gibt zweiunddreißig Mondphasenkarten, die für die jeweils acht Mondphasen in den vier Elementen stehen. Dies sind die wichtigsten Karten in diesem Orakelspiel, denn sie stellen die Verbindung zum Mond dar, der zur Zeit der Lesung am Himmel steht (siehe Seite 16). Sie bilden ein einzigartiges divinatorisches System und können uns einen Hinweis darauf geben, wann bestimmte Dinge in der Vergangenheit geschehen sind

und wann sie in der Zukunft geschehen werden.

Sobald Sie mit der Grundbedeutung der acht Mondphasen vertraut sind, werden Sie sie auch in Verbindung mit dem Element bringen können. Das Element weist auf das Thema der Frage hin, während die Mondphase das Wachstumsstadium anzeigt, in dem sich die erfragte Angelegenheit befindet. Die Karte, die den sichelförmigen Mond in Erde zeigt, deutet auf die ersten Sprossen (oder den Anfang) einer materiellen Unterneh-

Kurzübersicht Mondphasenkarten

1	◗	zunehmend sichelförmig	Sprossen	Feuer Erde Luft Wasser	Impuls Investition Idee Instinkt
2	◖	zunehmend erstes Viertel	Blätter	Feuer Erde Luft Wasser	Konkurrenz Stabilität Anpassungsfähigkeit Wahl
3	◖	zunehmend bucklig	Knospen	Feuer Erde Luft Wasser	Individualität Bestreben Förderung Leidenschaft
4	○	Vollmond	Blüte	Feuer Erde Luft Wasser	Anerkennung Errungenschaft Lösung Erfüllung
5	◗	abnehmend schwindend	Frucht	Feuer Erde Luft Wasser	Vertrauen Verantwortung Ansehen Verpflichtung
6	◗	abnehmend letztes Viertel	Niedergang	Feuer Erde Luft Wasser	Widerstand Prinzipien Herausforderung Manipulation
7	◖	abnehmend balsamisch	Samen	Feuer Erde Luft Wasser	Versprechen Verhandlung Zugeständnis Ernüchterung
8	●	Schwarzmond	schlafend	Feuer Erde Luft Wasser	Erholung Ökonomie Prüfung Isolation

mung hin, vielleicht auf den Beginn eines finanziellen Projektes. Der Vollmond in Wasser verweist auf die Blütezeit einer emotionalen Beziehung oder eines Gefühls und bringt vielleicht Ihre Gefühle ans Licht. Der balsamische Mond in Feuer bezeichnet die Samen oder die noch schlummernde Idee für ein Projekt, das erst zu einem viel späteren Zeitpunkt in Gang gebracht werden soll. Der bucklige Mond in Luft kann auf die Prüfung oder erneute Darstellung einer Idee hinweisen, die sich bereits als durchführbar erwiesen hat, und baut vielleicht auf vergangenem Erfolg auf.

DIE MONDHÄUSER

Mondhäuser tauchen in den astrologischen Systemen vieler Kulturen auf und haben sich unserer Meinung nach aus der frühesten Astrologie entwickelt, die eher auf den

Der innere Ring zeigt die zwölf Tierkreiszeichen, der mittlere die drei Dekanate jedes Zeichens mit den sie beherrschenden Planeten, der äußere die achtundzwanzig Mondhäuser.

Mond als auf die Sonne bezogen war. Es gibt Hinweise darauf, daß die Astrologie in Babylon und Ägypten mondorientiert war und selbst der römische Kaiser Augustus ließ nicht sein Sonnenzeichen auf seine Münzen prägen, sondern sein Mondzeichen, den Steinbock.

Der Weg des Mondes durch die 360 Grad des Tierkreises kann in achtundzwanzig Segmente unterteilt werden, die einzeln ungefähr der Strecke entsprechen, die der Mond an einem Tag zurücklegt, und die zusammen einen Mondmonat bilden. Jedes Segment ist ein Mondhaus und deckt 12 Grad und 51 Minuten des Kreises ab. In welcher Phase der Mond sich auch befindet, er steht immer in einem dieser Mondhäuser (siehe Zeichnung unten links). Traditionell wird jedes Tierkreiszeichen in drei Dekanate von je 10 Grad unterteilt, die jeweils von einem Planeten und einem der drei Zeichen des betreffenden Elements beherrscht werden. Im Feuerzeichen Widder zum Beispiel wird das erste Dekanat vom Widder selbst und vom Planeten Mars beherrscht. Das zweite Dekanat wird vom Löwen und von der Sonne beherrscht und das dritte vom Schützen und dem Planeten Jupiter. Jedes Mondhaus nimmt die

Die Planetensymbole

Symbol	Planet	Zugehöriges Tierkreiszeichen und Symbol
☉	SONNE	LÖWE ♌
☽	MOND	KREBS ♋
☿	MERKUR	ZWILLINGE ♊, JUNGFRAU ♍
♀	VENUS	STIER ♉, WAAGE ♎
♂	MARS	WIDDER ♈
♃	JUPITER	SCHÜTZE ♐
♄	SATURN	STEINBOCK ♑
♅	URANUS	WASSERMANN ♒
♆	NEPTUN	FISCHE ♓
♀	PLUTO	SKORPION ♏

Eigenschaften des Tierkreiszeichens und der Herrscher der entsprechenden Dekanate an.

Dieses Orakelspiel enthält achtundzwanzig Mondhäuserkarten. Der Name jeder Karte gibt einen vereinfachten Hinweis auf ihre Bedeutung. Nach einer Weile werden Sie in der Lage sein, die Bedeutung aus den Bildern selbst abzulesen. Aus der Verbindung von Mondphasenkarten und Mondhäuserkarten ergeben sich viele mögliche Bedeutungen für jede Lesung.

DIE GÖTTINNEN

Göttinnen werden größtenteils mit dem Mond in Verbindung gebracht, während viele Götter mit der Sonne assoziiert werden. In mythologischen Erzählungen, in denen Göttinnen vorkommen, haben sie Macht über Leben und Tod und bringen alle Extreme von tiefstem Mitgefühl und hingebungsvoller Liebe bis hin zu äußerstem Hass und unvorstellbarer Grausamkeit zum Ausdruck.

Kurzübersicht Mondhäuserkarten

Haus	Anfang	Ende	Planeten	Schlüsselbegriffe	Element
1. Vulkan	00.00 ♈	12.51 ♈	♂☉	Energie sammeln	Feuer
2. Musikantin	12.51 ♈	25.43 ♈	☉♃	Günstige Gelegenheit	Feuer
3. Palast	25.43 ♈	08.34 ♉	♃♀	Demonstrativer Genuss	Feuer/Erde
4. Stein	08.34 ♉	21.26 ♉	☿♄	Festhalten am Vertrauen	Erde
5. Rad	21.26 ♉	04.17 ♊	♄☿	Gute Kontakte	Erde/Luft
6. Brücke	04.17 ♊	17.08 ♊	☿♀	Kompromisse	Luft
7. Besucherin	17.08 ♊	00.00 ♋	♀♅	Unerwartete Beziehung	Luft
8. Ritter	00.00 ♋	12.51 ♋	☽♀	Instinktives Beschützen	Wasser
9. Krug	12.51 ♋	25.43 ♋	♀♆	Anderen helfen	Wasser
10. Quelle	25.43 ♋	08.34 ♌	♆☉	Kraftvolle Vorstellung	Wasser/Feuer
11. Fortuna	08.34 ♌	21.26 ♌	☉♃	Außergewöhnliches Glück	Feuer
12. Der Sturz	21.26 ♌	04.17 ♍	♂☿	Bedürfnis nach Neubeginn	Feuer/Erde
13. Altar	04.17 ♍	17.08 ♍	☿♄	Die Erwartungen anderer erfüllen	Erde
14. Zepter	17.08 ♍	00.00 ♎	♄♀	Wunsch nach einer besonderen Position	Erde
15. Bukett	00.00 ♎	12.51 ♎	♀♅	Unerwartete Liebesaffäre	Luft
16. Tür	12.51 ♎	25.43 ♎	♅☿	Neue Möglichkeiten	Luft
17. Schwert	25.43 ♎	08.34 ♏	☿♀	Rachegedanken	Luft/Wasser
18. Opfer	08.34 ♏	21.26 ♏	♀♆	Emotionale Extreme	Wasser
19. Zwei Wege	21.26 ♏	04.17 ♐	☽♃	Beginn einer Reise	Wasser/Feuer
20. Abgrund	04.17 ♐	17.08 ♐	♃♂	Ungestüm	Feuer
21. Duell	17.08 ♐	00.00 ♑	♂☉	Wettbewerb	Feuer/Erde
22. Hochzeit	00.00 ♑	12.51 ♑	♄♀	Konformes Verhalten	Erde
23. Geständnis	12.51 ♑	25.43 ♑	♀☿	Vertrauliches Gespräch	Erde
24. Maske	25.43 ♑	08.34 ♒	☿♅	Täuschung	Erde/Luft
25. Rebell	08.34 ♒	21.26 ♒	♅☿	Für eine Sache kämpfen	Luft
26. Gefangene	21.26 ♒	04.17 ♓	♀♆	Einen Ausweg suchen	Luft/Wasser
27. Guru	04.17 ♓	17.08 ♓	♆☽	Inspiration, Flucht	Wasser
28. Schläferin	17.08 ♓	00.00 ♈	☽♀	Vorahnung, Verdacht	Wasser

Diese Figuren sind keine menschlichen Wesen, sondern vielmehr Manifestationen der guten und schlechten Eigenschaften in uns allen.

Jeder Göttin wird gemäß der Jahreszeit, mit der sie in Verbindung steht, ein astrologisches Zeichen zugeordnet. Die jungen, initiierenden Weißen Göttinnen bewegen sich von den Fischen über Widder, Stier und Zwillinge durch den Frühling. Die reifen, erhaltenden Roten Göttinnen bewegen sich durch die Sommermonate von Krebs über Löwe, Jungfrau und Waage. Die zerstörerischen Schwarzen Göttinnen beginnen beim Skorpion und bewegen sich durch die Zeichen Schütze, Steinbock und Wassermann.

Die Göttinnenkarte, die als Teil der Legung gezogen wurde, hat eine übergeordnete Bedeutung für die gestellte Frage. Sie ist der Schutzengel oder die gute Fee, die sich um Ihre Interessen kümmert. Jede Göttin repräsentiert einen anderen Zugang zur wirkungsvollsten Handlung. Sie müssen von ihr lernen. Sie zeigt die Art, in der Sie handeln sollten, um das gewünschte Ergebnis zu Ihrer Frage oder Ihrem Problem zu erreichen. Um sich mit den Gottheiten vertraut zu machen, ist es nützlich, zunächst eine Göttin für jeden Tag zu ziehen. Achten Sie darauf, wie die Eigenschaften dieser Göttin zu den Ereignissen in Ihrem Leben in Beziehung stehen.

ASTROLOGISCHE ZEICHEN DER GÖTTINNEN

WEIße GÖTTINNEN	ROTE GÖTTINNEN	SCHWARZE GÖTTINNEN
Ishtar – Fische	Hera – Krebs	Lilith – Skorpion
Artemis – Widder	Isis – Löwe	Kali – Schütze
Venus – Stier	Demeter – Jungfrau	Hekate – Steinbock
Athene – Zwillinge	Gaia – Waage	Freya – Wassermann

Das Rad der Göttinnen

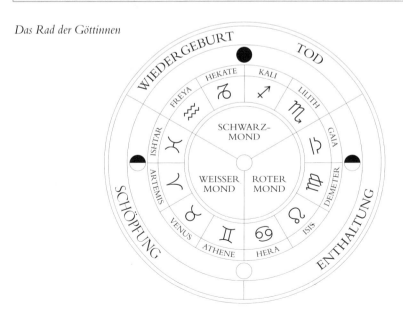

DIE MONDPHASEN

DER MOND ZUR ZEIT DER LESUNG

Bevor Sie Ihre Frage das Orakel stellen, wählen Sie die Karte aus, welche die gegenwärtige Mondphase darstellt. Diese Karte stellt die Verbindung zur divinatorischen Kraft und Stimmung des derzeitigen Mondes her und beherrscht die gesamte Frage. Wenn sich der Mond zur Zeit der Lesung in einer zunehmenden Phase befindet, symbolisiert er bis zum Vollmond immer die Möglichkeit des Wachstums und die Aussicht auf Erfolg. Wenn er sich hingegen in einer abnehmenden Phase befindet, müssen sich die Dinge zunächst verschlechtern und in eine schlafende Phase übergehen, bevor sie sich erneuern können. Wenn Sie den Mond der Lesung aus den Mondtabellen entnehmen, wissen Sie gleichzeitig auch, in welchem Element und in welchem Zeichen er steht. Dies ermöglicht eine spezifischere Interpretation, bestimmt die vorwiegende Atmosphäre der Lesung und hat Einfluss auf die Bedeutung sämtlicher Karten.

SO BESTIMMEN SIE ZEITLICHE ABLÄUFE MIT HILFE DER MONDPHASENKARTEN

Andere Mondphasenkarten, die als Teil der Lesung gezogen werden, stellen die Vergangenheit oder die Zukunft dar. Hier können wir die Mondtabellen nutzen, um herauszufinden, welche Zeit sie repräsentieren. Wenn zum Beispiel die für ein vergangenes Ereignis gezogene Karte der sichelförmige Mond im Element Wasser ist, können wir in den Mondtabellen nachsehen, wann der Mond zuletzt in dieser Phase war. Dies liegt oft schon Monate zurück.

Wir führen zum Beispiel am 31. November 2000 eine Lesung mit drei Karten durch. Die Tabellen zeigen, dass der Mond unserer Lesung der sichelförmige Mond im Steinbock ist, also im Element Erde. Aus den gemischten Mondphasenkarten ziehen wir für die Vergangenheit den Vollmond in Wasser und für die Zukunft den schwindenden Mond in Luft.

Vollmond in Wasser für die Vergangenheit bezieht sich auf die Blütezeit oder die Enthüllung eines wichtigen emotionalen Erlebnisses. Wann geschah das? Dazu sehen wir in den Tabellen nach und finden heraus, dass am 13. September 2000 der Vollmond in den Fischen stand. Dies gibt uns die folgende zusätzliche Interpretation (siehe Seite 44): „Dies ist eine Zeit der [Fische-] Euphorie. Alles, was du dir vorgestellt hast, ist wahr geworden. In Beziehungsangelegenheiten besteht die Gefahr, die Geliebte oder den Geliebten auf ein zu hohes Podest zu stellen." Dies gibt uns weitere Einsichten in die Vergangenheit und verbindet uns direkt mit dem Mond dieser Zeit.

Für die Zukunftskarte, den schwindenden Mond in Luft, müssen wir die Tabelle in die Zukunft verfolgen. Am 12. Februar 2001 wird es einen schwindenden Mond in der Waage mit folgender Interpretation geben: „Du hast dich der Welt bewiesen und kannst dich jetzt in dem Wissen entspannen, dass dein Ansehen etabliert ist." Was immer Ihre Frage auch gewesen sein mag, zu diesem Zeitpunkt wird sich die Angelegenheit aufgelöst haben (siehe Seite 37).

Anmerkung des Lektorats: Im folgenden Text zu den Orakelkarten wechseln wir zu der persönlicheren Anrede „du" über.

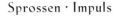

1. SICHELFÖRMIGER MOND IN FEUER

Sprossen · Impuls

Der dünne zunehmende Mond in Feuer ist heißblütig und impulsiv. Diese Zeit ist geprägt von einer Qualität des Nicht-abwarten-Könnens, die Menschen zu waghalsigem und aufregendem Handeln treibt. Optimismus und Enthusiasmus, die in dieser Phase im Überfluss vorhanden sind, setzen die kreativsten Projekte in Bewegung.

Wenn diese Karte die den Mondtabellen entnommene gegenwärtige Mondphase darstellt, geben die folgenden Ausführungen zu den Tierkreiszeichen weiteren Aufschluss.

MOND IM WIDDER – Die Vision ist da, die Energie ist da, worauf warten denn alle noch? Wenn du während dieser Mondphase weißt, dass du niemand anderen brauchst, dann tu es einfach – auf deine Art.

MOND IM LÖWEN – Während dieser Phase hast du den heftigen Wunsch, ein Projekt in die Hand zu nehmen oder die Führung in einer Sache zu übernehmen. Du bist auch sehr darauf aus, dass bekannt wird, was du tust, und dass du dafür anerkannt wirst.

MOND IM SCHÜTZEN – Deine Augen suchen den Horizont und wenn du ihn erreicht hast, vielleicht gleich den nächsten! Dies ist eine Zeit, in der du dich voller Erwartungen auf Reisen begibst.

2. MOND IM ERSTEN VIERTEL IN FEUER

Blätter · Konkurrenz

Wenn sich der Mond in das erste Viertel bewegt und 90 Grad von der Sonne entfernt steht, ist er halb dunkel und halb beleuchtet und alles ist im Gleichgewicht. Für das Feuerelement ist dies jedoch nicht genug. Diese Phase verursacht einen starken Drang, vorwärts zu gehen, um die Dinge zum eigenen Vorteil einzurichten. Sie unterstützt den Wunsch zu gewinnen.

Wenn diese Karte die den Mondtabellen entnommene gegenwärtige Mondphase darstellt, geben die folgenden Ausführungen zu den Tierkreiszeichen weiteren Aufschluss.

MOND IM WIDDER – Dies ist die aggressivste Viertelmondphase. Es ist eine Zeit, in welcher der Wunsch, alle Widerstände zu überwinden, um Fortschritte zu machen, zum Äußersten getrieben wird.

MOND IM LÖWEN – Es besteht die Hoffnung, dass sich sämtliche Widerstände angesichts deines offensichtlichen Wertes in Luft auflösen. Du weißt sehr wohl, dass du eine Art göttliches Recht auf Erfolg hast!

MOND IM SCHÜTZEN – Auf der Suche nach Wahrheit siehst du jetzt das Licht am Ende des Tunnels. Wenn du in der Eile ein paar Leuten auf die Zehen treten musst, soll das wohl so sein – was zählt, ist, dass du dein Ziel erreichst.

3. BUCKLIGER MOND IN FEUER

Knospen · Individualität

Während das Mondlicht zunimmt, triffst du immer weniger Konkurrenz auf deinem Weg und erkennst, dass der Kurs, den du eingeschlagen hast, unausweichlich und einzigartig ist. Während dieser Mondphase fühlst du eine starke Kraft, die dich veranlasst, deinen Auftrag zu Ende zu bringen.

Wenn diese Karte die den Mondtabellen entnommene gegenwärtige Mondphase darstellt, geben die folgenden Ausführungen zu den Tierkreiszeichen weiteren Aufschluss.

MOND IM WIDDER – Du richtest deine ganze Aufmerksamkeit und Energie auf das Projekt, an dem du gerade arbeitest. Nichts kann deinen Fortschritt mehr aufhalten und dein Wunsch, das Ergebnis zu sehen, ist überwältigend.

MOND IM LÖWEN – Diese Zeit ist wie eine Generalprobe. Jeder kennt seinen Text und seine Rolle. Du brauchst nur noch den letzten Schliff, um eine einzigartige Vorstellung geben zu können

MOND IM SCHÜTZEN – Während sich deine Reise dem Ende zuneigt, befällt dich eine unerklärliche Traurigkeit und du beginnst bereits, deine Gedanken auf das nächste Projekt zu konzentrieren.

4. VOLLMOND IN FEUER

Blüte · Anerkennung

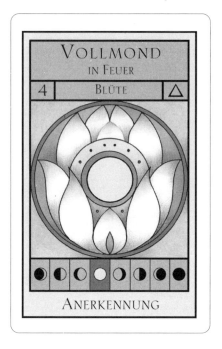

Diese Phase stellt den erfolgreichen Abschluss eines kreativen Projektes dar. Es ist das Stadium, in dem der Rest der Welt eingeladen ist, die Ergebnisse deiner Anstrengungen zu begutachten. Du bekommst Anerkennung für deine Leistungen oder erreichst das gewünschte Resultat eines Projektes.

Wenn diese Karte den aus den Mondtabellen entnommenen gegenwärtigen Mond darstellt, geben die Tierkreiszeichen weitere Erklärungen.

MOND IM WIDDER – Du bist der siegreiche Krieger oder Held, der sich ohne jede Aussicht auf Erfolg durchgekämpft und andere mit seiner Entschlossenheit zu gewinnen beeindruckt hat. Du bist zufrieden und kannst dich jetzt zurücklehnen, um eine Weile zu entspannen.

MOND IM LÖWEN – Dies ist das Zeichen des Schauspielers und der Vollmond im Löwen verlangt nach einer guten Vorstellung. Es zeigt an, dass dir der Beifall anderer gewiss ist. Nun hast du Zeit, um dich auf deinen Lorbeeren auszuruhen und dich in deinem Ruhm zu sonnen.

MOND IM SCHÜTZEN – Du bist der Reisende, Forscher oder Abenteurer, der endlich an seinem Ziel angekommen ist. Du hast ein hervorragendes Ergebnis erzielt.

5. SCHWINDENDER MOND IN FEUER

Frucht · Vertrauen

Diese Phase kündigt die Ernte dessen an, was du durch frühere Leistungen erworben hast. Du kannst nun die Früchte deiner Arbeit genießen. Dein Selbstvertrauen wächst gewaltig, wenn du auf deine vergangenen Errungenschaften zurückblickst. Es ist eine Zeit, um etwas Gutes zu fördern und weiterzuentwickeln, auf das du stolz bist und womit du bereits begonnen hast.

Wenn diese Karte den aus den Mondtabellen entnommenen gegenwärtigen Mond darstellt, geben die Tierkreiszeichen weitere Erklärungen.

MOND IM WIDDER – Dies ist eine Zeit der Anerkennung für vergangene Unternehmungen. Du bist in der Lage, das Beste aus deinem Ruf zu machen, und kannst auf dieser Grundlage aufbauen und Ideen weiterentwickeln.

MOND IM LÖWEN – Du kannst Popularität und Anerkennung gewinnen, indem du die Arbeit eines anderen erweiterst oder weiterentwickelst.

MOND IM SCHÜTZEN – Du hast genug Selbstvertrauen, um deine Ansichten offen und geradeheraus zu vertreten. Du bist hoch angesehen und verfügst möglicherweise über internationale Kontakte.

6. MOND IM LETZTEN VIERTEL IN FEUER

Niedergang · Widerstand

Wenn der Mond rechtwinklig zur Sonne steht, ist eine kritische Mondphase erreicht, in der alles im Gleichgewicht ist. Es besteht die Tendenz, bestimmte Dinge erzwingen zu wollen, weil die Ereignisse in dieser Phase im allgemeinen nicht ganz nach Plan verlaufen.

Wenn diese Karte den aus den Mondtabellen entnommenen gegenwärtigen Mond darstellt, geben die Tierkreiszeichen weitere Erklärungen.

MOND IM WIDDER – Du hast das Bedürfnis, deine Kräfte aggressiv einzusetzen, um die Dinge in die Richtung zu lenken, die dir genehm ist, oder Leute dazu zu bringen, so zu handeln, wie es für das Erreichen deiner Ziele notwendig ist.

MOND IM LÖWEN - Du musst hart arbeiten, um die Achtung und den Respekt, die man dir entgegenbringt, aufrechtzuerhalten. Du kannst dich nicht auf deine vergangenen Erfolge verlassen, wenn es darum geht, andere von deinem Wert zu überzeugen.

MOND IM SCHÜTZEN – Du wirst mit zwei entgegengesetzten Wegen konfrontiert, von denen offensichtlich keiner der richtige ist. Du hast das Gefühl, zwei Schritte vor und einen zurück zu gehen.

7. Balsamischer Mond in Feuer

Samen · Versprechen

Während das Licht des Mondes abnimmt, um schließlich nur noch eine dünne, nach rechts offene Sichel zu zeigen, erreicht der Mond seinen Samenzustand. Während dieser Phase stellt sich das Gefühl ein, dass etwas für die Zukunft bewahrt wird, das fast eine prophetische Qualität hat. Du spürst, dass etwas geschieht, worauf du keinen direkten Einfluss hast.

Wenn diese Karte den aus den Mondtabellen entnommenen gegenwärtigen Mond darstellt, geben die Tierkreiszeichen weitere Erklärungen.

MOND IM WIDDER – Dieses Zeichen fühlt sich nur mit sofortigem Handeln wohl.

Daher erzeugt die erzwungene Untätigkeit, die diese Phase des Mondzyklus mit sich bringt, ein starkes Gefühl von Frustration.

MOND IM LÖWEN – Der Löwe ist mit dem Wartespiel glücklicher als der Widder. Sein natürliches Talent zum kreativen Visualisieren zukünftiger Projekte kommt in dieser Phase voll zum Zug.

MOND IM SCHÜTZEN – Ähnlich wie für den Widder ist kreative Handlung auch für den Schützen das Allerwichtigste, aber Schützen sind besser in der Lage, sich auf eine Langzeitplanung zu konzentrieren.

8. SCHWARZMOND IN FEUER

Schlafend · Erholung

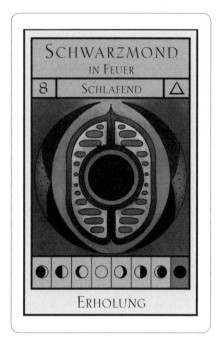

Die Phase, in welcher der Mond all sein Licht verliert, ist für keines der Feuerzeichen leicht zu ertragen. Für Menschen, die ständig in kreativer Bewegung und voller Energie sind, ist es immer frustrierend, zur Ruhe gezwungen zu werden, selbst wenn sie einsehen mögen, dass ihre Kräfte Regeneration brauchen.

Wenn diese Karte den aus den Mondtabellen entnommenen gegenwärtigen Mond darstellt, geben die Tierkreiszeichen weitere Erklärungen.

MOND IM WIDDER – Die Untätigkeit, die diese Phase kennzeichnet, kann extreme und aggressive Reaktionen hervorrufen.

Vielleicht hast du die Tendenz, gewaltsam Türen zu öffnen, die dich unausweichlich ins Nichts führen, bis du schließlich akzeptierst, dass Ruhe notwendig ist.

MOND IM LÖWEN – Wenn du kein kreatives Projekt hast, das du vorzeigen kannst, fühlst du dich in dieser Mondphase eher entmutigt. Der Löwe will gesehen werden, wie er Großartiges vollbringt.

MOND IM SCHÜTZEN – Dies ist eine Zeit, in der du zwischen Illusion und Realität hin und her gerissen bist. Das Bedürfnis, dich in dich selbst zurückzuziehen, um neue Energie zu gewinnen, steht in Konflikt mit deinem Wunsch, woanders zu sein.

1. SICHELFÖRMIGER MOND IN ERDE

Sprossen · Investition

Der dünne sichelförmige Mond in Erde ist langsam, ausgeglichen, vorsichtig und sorgsam in Hinblick auf das kostbare Material, das er nährt. Dies ist eine Zeit der Investition in etwas Konkretes, von dem du weißt, dass es später Früchte tragen wird. Du hast keine Eile – alles wird zu seiner Zeit geschehen.

Wenn diese Karte den aus den Mondtabellen entnommenen gegenwärtigen Mond darstellt, geben die Tierkreiszeichen weitere Erklärungen.

MOND IM STIER – Der Stier ist auch als Gärtner des Tierkreises bekannt. Unter diesem Zeichen erledigst du auch die schwierigsten Projekte mit ungeheurer Sorgfalt und Aufmerksamkeit.

MOND IN DER JUNGFRAU – Eine Zeit der Vorbereitung für die Zukunft, in der du dafür sorgst, dass alles getan wird, um einem Projekt den Weg zum Erfolg zu ebnen.

MOND IM STEINBOCK – Geduld ist die Hauptqualität dieses Zeichens. Wie lange es auch dauern und wieviel harte Arbeit auch nötig sein mag, um dem kleinen Sprossen zum Wachsen zu verhelfen, unter dem Einfluss dieses Mondes wird es vollbracht werden.

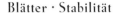

2. MOND IM ERSTEN VIERTEL IN ERDE

Blätter · Stabilität

Wenn der Mond sich in das erste Viertel bewegt und 90 Grad von der Sonne entfernt steht, ist sein Gesicht halb dunkel und halb beleuchtet und alles wird im Gleichgewicht gehalten. Es ist also notwendig, dem Ganzen einen kleinen Schubs zu geben, wenn sich das Gleichgewicht zu deinen Gunsten verändern soll. Für das Erdelement ist dies anspornend und erzeugt einen planerischen Antrieb, der ein Projekt auf den Weg zu seiner erfolgreichen Verwirklichung bringt.

Wenn diese Karte den aus den Mondtabellen entnommenen gegenwärtigen Mond darstellt, geben die Tierkreiszeichen weitere Erklärungen.

MOND IM STIER – Unter diesem Mond wird ein hartnäckiger und eigensinniger Weg beschritten. Du neigst dazu, geradezu rücksichtslos vorzugehen, wenn es sich um materielle Angelegenheiten handelt.

MOND IN DER JUNGFRAU – Diese Mondphase ist ideal, um Verfahren und Methoden für irgendein Projekt festzulegen. Es ist die richtige Zeit, um wichtige technische Details auszuführen.

MOND IM STEINBOCK – Du bist in der Lage, einflussreiche Leute einzusetzen, die das Gleichgewicht zu deinen Gunsten verschieben können. Die Zeit ist ideal, um den nächsten Schritt vorzubereiten.

3. BUCKLIGER MOND IN ERDE

Knospen · Bestreben

In dieser Phase nimmt das Licht des Mondes mehr und mehr zu und die in Angriff genommene Idee entwickelt sich zu einem durchführbaren Plan. Jetzt ist es wichtig, das Projekt weiterzuentwickeln, um es zur Vollendung zu bringen. Das Projekt unterliegt nun dem allgegenwärtigen Drang nach Erfolg.

Wenn diese Karte den aus den Mondtabellen entnommenen gegenwärtigen Mond darstellt, geben die Tierkreiszeichen weitere Erklärungen.

MOND IM STIER – Nun ist es Zeit, die abschließende Präsentation vorzubereiten, da die wichtigsten Teile des Projektes vollendet sind. Es wird wichtig, wie andere Menschen das Projekt sehen.

MOND IN DER JUNGFRAU – In dieser Phase unterziehst du das Projekt einer umfangreichen Untersuchung, um herauszufinden, welche Elemente wesentlich sind und welche verworfen werden können. Eine solche Untersuchung garantiert, dass im entscheidenden Moment alles glatt läuft.

MOND IM STEINBOCK – Dein Gefühl für Verantwortung ist zu dieser Zeit stark und der Wunsch, das Projekt abzuschließen, wird zu deiner Mission.

4. VOLLMOND IN ERDE

Blüte · Errungenschaft

Diese Mondphase kennzeichnet die erfolgreiche Vollendung eines materiellen Projektes. Das Ergebnis all deiner harten Arbeit ist jetzt sichtbar und dein Geschäftssinn wird von anderen gewürdigt. Diese Zeit zeigt ein letztendlich günstiges Ergebnis an.

Wenn diese Karte den aus den Mondtabellen entnommenen gegenwärtigen Mond darstellt, geben die Tierkreiszeichen weitere Erklärungen.

MOND IM STIER – Dies ist eine Zeit, in der es leicht passieren kann, dass du nichts anderes mehr tust, als deinen wohlverdienten Erfolg zu genießen. Das wäre übertrieben. Versuche also, diesen Impuls ein wenig zu zügeln.

MOND IN DER JUNGFRAU – Der Erfolg deines Projektes ist jetzt vollständig gesichert und wenn du bescheiden bleibst, anstatt dich daran zu weiden, wirst du einen günstigeren Eindruck bei anderen hinterlassen.

MOND IM STEINBOCK – Der erfolgreiche Abschluss des Projektes hat dir den Beifall und die Wertschätzung anderer eingebracht. Das macht dich höchstwahrscheinlich zu einer wichtigeren Figur im gesellschaftlichen Leben.

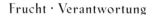

5. SCHWINDENDER MOND IN ERDE

Frucht · Verantwortung

Diese Mondphase weist auf materiellen Gewinn aus vergangenen Anstrengungen hin. Die Ernte wird jetzt eingebracht und du musst sorgfältig bedenken, was du damit anfängst. Nun liegt es in deiner Verantwortung, die Vorteile deines Gewinns so einzusetzen, dass sie dir auch künftig Sicherheit bieten.

Wenn diese Karte den aus den Mondtabellen entnommenen gegenwärtigen Mond darstellt, geben die Tierkreiszeichen weitere Erklärungen.

MOND IM STIER – Dies ist eine Mondphase, in der du, um deinen Erfolg zu erhalten, sorgfältigen Gebrauch von allen unlängst entstandenen Gewinnen machen musst, indem du sie möglichst sicher investierst.

MOND IN DER JUNGFRAU – Materielle Gewinne werden in dieser Mondphase eingesetzt, um neue und bessere Methoden und Arbeitssysteme zu perfektionieren. Es ist eine Zeit der produktiven Analyse.

MOND IM STEINBOCK – Dies ist die Zeit, um den Gewinn eines erfolgreichen Unternehmens zu vergrößern und zu verteilen und neue Möglichkeiten für die Zukunft zu erschließen.

6. MOND IM LETZTEN VIERTEL IN ERDE

Niedergang · Prinzipien

Wenn der Mond rechtwinklig zur Sonne steht, ist eine kritische Phase im Mondzyklus erreicht, in der alles im Gleichgewicht ist. Es besteht das Bedürfnis, die grundlegenden Prinzipen zu erforschen, mit denen du gearbeitet hast, um ein stabiles finanzielles Gleichgewicht zu erhalten.

Wenn diese Karte den aus den Mondtabellen entnommenen gegenwärtigen Mond darstellt, geben die Tierkreiszeichen weitere Erklärungen.

MOND IM STIER – Dies ist eine kritische Phase, in der du dich nicht länger auf deinen Lorbeeren ausruhen solltest und das Funda-ment, auf dem dein Projekt steht, neu einschätzen musst, bevor du weitergehen kannst.

MOND IN DER JUNGFRAU – Das materielle Projekt, an dem du beteiligt bist, hat eine Art toten Punkt erreicht. Die Finanzen fluktuieren und sind schwierig einzuschätzen. Du musst deine gesamte Arbeitsweise analysieren.

MOND IM STEINBOCK – Du wirst gezwungen, dir die Prinzipien anzusehen, auf denen dein Projekt aufgebaut ist, um eine Situation, die ein empfindliches Gleichgewicht erreicht hat, im gewünschten Sinne zu verändern.

7. BALSAMISCHER MOND IN ERDE

Samen · Verhandlung

Während das Licht des Mondes abnimmt, um eine dünne, nach rechts offene Sichel zu zeigen, erreicht der Mond den Samenzustand seines Kreislaufes. Dies ist eine Phase, in der die Dinge, die mit dem Projekt zu tun haben, immer weniger deiner Kontrolle unterliegen. Verhandlungen mit anderen sind jetzt erforderlich.

Wenn diese Karte den aus den Mondtabellen entnommenen gegenwärtigen Mond darstellt, geben die Tierkreiszeichen weitere Erklärungen.

MOND IM STIER – In dieser Mondphase besteht die Gefahr, dass du halsstarrig an deinen Ansichten festhältst. Du musst bereit sein, unausweichliche Veränderungen zu akzeptieren und dich entsprechend anzupassen.

MOND IN DER JUNGFRAU – Die Arbeitsweisen, die in der Vergangenheit erfolgreich waren, sind nicht mehr angebracht und müssen geändert werden. Du musst diese erzwungenen Veränderungen akzeptieren, bevor du weitergehen kannst.

MOND IM STEINBOCK – In dieser Mondphase musst du bereit sein, das Bestmögliche aus einer Situation zu machen, in der du deutlich weniger Macht hast als zuvor.

8. SCHWARZMOND IN ERDE

Schlafend · Ökonomie

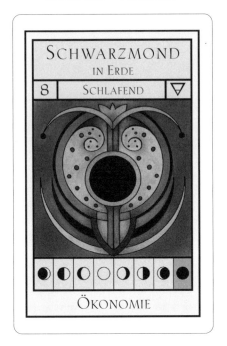

Wenn der Mond all sein Licht in einem Erdzeichen verliert, verlangsamt sich der Fortschritt auf allen Gebieten. Materiell gesehen ist dies keine gute Zeit, um neue Investitionen zu tätigen oder irgendein Risiko einzugehen. Es ist eher eine Zeit, um Ausgaben zu kürzen.

Wenn diese Karte den aus den Mondtabellen entnommenen gegenwärtigen Mond darstellt, geben die Tierkreiszeichen weitere Erklärungen.

MOND IM STIER – Dieses Zeichen ist nicht sehr glücklich, wenn es häusliche Bequemlichkeiten aufgeben soll, die durch harte Arbeit erworben wurden. Daher besteht die Notwendigkeit, in dieser Phase mehr Selbstdisziplin als üblich aufzuwenden.

MOND IN DER JUNGFRAU – Dies ist eine Zeit für Entscheidungen über Ausgaben, die notwendig sind, und solche, die es nicht sind. In dieser Phase wird rücksichtslose Buchhaltung verlangt.

MOND IM STEINBOCK – Dies ist eine ideale Zeit, um sich den Aspekten eines Projektes zu widmen, die um des schnellen Fortschritts willen unvollständig geblieben sind. Nun können sie vollendet werden, damit nichts verloren geht und alles für einen neuen Start zu einem späteren Zeitpunkt bereit ist.

1. SICHELFÖRMIGER MOND IN LUFT

Sprossen · Idee

Der dünne sichelförmige Mond in Luft markiert eine Zeit der Initiation und des Neubeginns; eine lebhafte Zeit, die mit Nachforschungen und Diskussionen ausgefüllt ist. In dieser Mondphase wirst du mit einer neuen Idee beschäftigt sein, die ein ungeheures Entwicklungspotential besitzt.

Wenn diese Karte den aus den Mondtabellen entnommenen gegenwärtigen Mond darstellt, geben die Tierkreiszeichen weitere Erklärungen.

MOND IN DEN ZWILLINGEN – Du hast eine brillante Idee, die es wert ist, verfolgt zu werden, aber du musst ein wenig Marktforschung betreiben, um mehr Informationen zu sammeln, die dem Projekt Substanz geben.

MOND IN DER WAAGE – Dies ist eine ideale Zeit, um Diskussionen mit Freunden, Kollegen und Kunden zu führen und so mehr darüber zu erfahren, was andere von deiner Idee halten.

MOND IM WASSERMANN – Dies ist die Zeit, um deine Idee in ganzem Ausmaß zu erforschen. Nimm sie auseinander, stell sie auf den Kopf und prüfe sie in verschiedenen Situationen, um sicherzustellen, dass sie ihre vielversprechendste Form findet.

2. MOND IM ERSTEN VIERTEL IN LUFT

Blätter · Anpassungsfähigkeit

Wenn der Mond das erste Viertel in Luft erreicht hat, ist es Zeit, so viele Leuten wie möglich um Rückmeldung zu deiner Idee zu bitten und das Konzept eventuell entsprechend zu ändern. Jetzt geht es auch darum, die Idee so zu modifizieren, dass sie ein größtmögliches Publikum anspricht.

Wenn diese Karte den aus den Mondtabellen entnommenen gegenwärtigen Mond darstellt, geben die Tierkreiszeichen weitere Erklärungen.

MOND IN DEN ZWILLINGEN – Während dieser Zeit gibt es viel Bewegung, sowohl körperlicher als auch mentaler Art. Während sich die ursprüngliche Idee weiterentwickelt, wirst du dich wahrscheinlich auf eine oder zwei Geschäftsreisen begeben.

MOND IN DER WAAGE – Es besteht die Notwendigkeit, die Idee gemeinsam mit jemand anderem in die Tat umzusetzen. Wenn du die richtige Person findest, wird diese dir die Zuversicht geben, die du brauchst, um weiter zu gehen.

MOND IM WASSERMANN – In dieser Zeit wird die Idee rationalisiert und die Vorbereitungen für die Präsentation werden getroffen. Es werden neue Wege gesucht, um ein originelles Konzept vorzustellen.

3. BUCKLIGER MOND IN LUFT

Knospen · Förderung

Während der Mond diese Phase seines Kreislaufes erreicht, gibt es mehr Sonnenlicht als Schatten und egal worum es sich handelt, es fällt jetzt symbolisch mehr Licht auf die Angelegenheit. Es ist eine Zeit, um Dinge ans Licht zu bringen, die Karten auf den Tisch zu legen oder eine Vision enthusiastisch voranzutreiben.

Wenn diese Karte den aus den Mondtabellen entnommenen gegenwärtigen Mond darstellt, geben die Tierkreiszeichen weitere Erklärungen.

MOND IN DEN ZWILLINGEN – Dieses Stadium ist ideal für das Verkaufen deiner Idee. Die Idee ist vernünftig und es geht nur noch darum, dass sie vollständig gebilligt wird.

MOND IN DER WAAGE – Wenn der Mond sich in dieser Phase befindet, kommt die Hilfe zur rechten Zeit. Ein Partner wird alle nötigen Arbeiten ausführen, um dem Projekt zum Erfolg zu verhelfen.

MOND IM WASSERMANN – Dies ist eine Zeit, in der Unkonventionelles gefragt ist. Ein ungewöhnliches oder sogar exzentrisches Vorgehen erhöht die Chancen, dass deine Idee erfolgreich ist.

4. VOLLMOND IN LUFT

Blüte · Lösung

Wenn der Mond der Sonne genau gegenüber steht, wird er zu einer vollständigen Lichtkugel. Diese Phase weist auf Erfolg hin, auf die Vollendung oder das erhoffte Ergebnis der Idee, an der du gearbeitet hast.

Wenn diese Karte den aus den Mondtabellen entnommenen gegenwärtigen Mond darstellt, geben die Tierkreiszeichen weitere Erklärungen.

MOND IN DEN ZWILLINGEN – Dies ist ein Zeitraum, der auf das Unterzeichnen von Verträgen oder die Realisierung von Plänen hinweist. Es ist eine Zeit, in der du damit beschäftigt bist, von anderen Komplimente entgegenzunehmen und ganz allgemein im Rampenlicht zu stehen.

MOND IN DER WAAGE – Oft ist dies die Blütezeit einer Partnerschaft. Wenn der Mond in diesem Zeichen steht, ist es wahrscheinlich, dass ein Urteil zu deinen Gunsten fällt und du die volle Unterstützung aller Menschen genießt, mit denen du zu tun hast.

MOND IM WASSERMANN – In dieser Phase wirst du vermutlich eine Überraschung erleben. Eine unerwartete Veränderung der Umstände wird sich ergeben und die Meinungen werden sich zu deinen Gunsten wenden.

5. SCHWINDENDER MOND IN LUFT

Frucht · Ansehen

Wenn der Mond diese Phase seines Zyklus erreicht, ist dir dein Ruhm bereits vorausgeeilt und dies ist die Zeit, um die Früchte deiner Anstrengungen zu ernten. Du hast dich der Welt bewiesen und kannst dich jetzt in dem Wissen entspannen, dass dein Ansehen etabliert ist.

Wenn diese Karte den aus den Mondtabellen entnommenen gegenwärtigen Mond darstellt, geben die Tierkreiszeichen weitere Erklärungen.

MOND IN DEN ZWILLINGEN – Vielleicht hast du die Tendenz, dir selbst auf die Schulter zu klopfen, jetzt, wo deine Idee so erfolgreich war, und vielleicht übertreibst du in dieser Hinsicht ein bisschen. Zwillinge stehen gern im Rampenlicht und lieben Publicity über alles.

MOND IN DER WAAGE – In dieser Zeit erkennen andere Menschen deinen Wert an und achten dich für deine vergangenen Erfolge. Du kannst dich zurücklehnen, in dem Wissen dass deine neueste Idee den Beifall anderer gefunden hat.

MOND IM WASSERMANN – Jetzt wird eine ungewöhnliche Vorgehensweise, derer du dich in der Vergangenheit bedient hast und die damals nicht geachtet wurde, endlich anerkannt. Nun respektieren die Menschen deine Ansichten.

6. MOND IM LETZTEN VIERTEL IN LUFT

Niedergang · Herausforderung

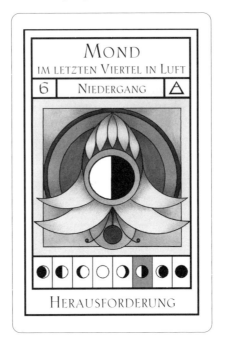

Das Licht des Mondes nimmt ab und sein Gesicht ist jetzt halb hell und halb dunkel. Dies ist eine Zeit im Mondzyklus, in der du aufgefordert bist, neue Ideen oder Konzepte an die Stelle der alten, erprobten zu setzen. Du kannst nicht länger in der Vergangenheit leben und musst dich anpassen.

Wenn diese Karte den aus den Mondtabellen entnommenen gegenwärtigen Mond darstellt, geben die Tierkreiszeichen weitere Erklärungen.

MOND IN DEN ZWILLINGEN – Es besteht die Notwendigkeit, zum Beispiel wieder zur Schule zu gehen, neue Information aufzunehmen und herauszufinden, was der Rest der Welt denkt.

MOND IN DER WAAGE – In dieser Phase wirst du mehr Zeit mit guten Freunden verbringen und verschiedene Ansichten kennen lernen und diskutieren. Neue Pfade und neue Türen in die Zukunft werden sich auftun.

MOND IM WASSERMANN – Dies ist eine Zeit, um mit vergangenen Gewohnheiten zu brechen und sie durch neue Arbeitsmethoden und eine Reihe neuer Ideen zu ersetzen. Es ist eine Zeit, um sich von der Selbstzufriedenheit zu verabschieden.

7. BALSAMISCHER MOND IN LUFT

Samen · Zugeständnis

Die Sonne beleuchtet jetzt nur eine dünne Sichel auf der linken Seite des Mondes, während er sich dem Ende seines monatlichen Kreislaufes nähert. Während dieser Zeit bringt die Konzentration deiner geistigen Fähigkeiten die Samen für die Zukunft hervor. Es ist eine Zeit, um Zugeständnisse zu machen und Ideen an veränderte Umstände anzupassen.

Wenn diese Karte den aus den Mondtabellen entnommenen gegenwärtigen Mond darstellt, geben die Tierkreiszeichen weitere Erklärungen.

MOND IN DEN ZWILLINGEN – Dein Wunsch, sofort mit einem Projekt zu beginnen, wird vereitelt, und du bist gezwungen, die Zeit abzuwarten. Weise nichts zurück, sondern spare es dir auf, um es zu einem besser geeigneten Zeitpunkt wieder vorzubringen.

MOND IN DER WAAGE – Ganz gleich, wie angenehm du die Gesellschaft anderer Menschen finden magst, manchmal brauchst du die Einsamkeit, um zu dir selbst zu finden. Dies ist die Zeit dafür.

MOND IM WASSERMANN – Du weißt, was du tun willst, und du weißt, dass du warten musst. Dies ist eine Zeit, in der du gezwungen bist, dich zurückzulehnen, einen offenen Geist zu bewahren und anderen das Reden zu überlassen.

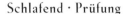

8. SCHWARZMOND IN LUFT

Schlafend · Prüfung

In dieser Phase ist kein Mond am Himmel sichtbar – sein leuchtendes Gesicht ist von der Erde abgekehrt und nur während einer Sonnenfinsternis kann man sehen, dass es immer noch da ist. Dies ist traditionell eine Zeit, in der nichts Gutes geschieht. Es ist eine Zeit, um Ideen zu überprüfen und zu überdenken, in welche Richtung das eigene Leben läuft.

Wenn diese Karte den aus den Mondtabellen entnommenen gegenwärtigen Mond darstellt, geben die Tierkreiszeichen weitere Erklärungen.

MOND IN DEN ZWILLINGEN – Selbst der aktivste und fähigste Verstand muss sich gelegentlich Zeit zum Ausruhen und Erholen nehmen, damit er die an ihn gestellten Herausforderungen bewältigen kann. Mach eine Pause. Lass dich vor allem in dieser Zeit nicht zu voreiligen Handlungen hinreißen.

MOND IN DER WAAGE – Dies ist die schwierigste Zeit, um Entscheidungen zu treffen. Statt dies zu versuchen, ist es besser abzuwarten, bis dir die göttliche Inspiration die Angelegenheit abnimmt.

MOND IM WASSERMANN – Der Wunsch etwas Anderes, Wildes oder sogar Zügelloses zu tun, ist stark. Widerstehe diesem Impuls. Halte dich für eine Weile an die Regeln und entspanne dich.

1. SICHELFÖRMIGER MOND IN WASSER

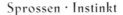

Sprossen · Instinkt

Der dünne sichelförmige Mond in Wasser weist auf den Beginn einer emotionalen Beziehung oder einer von Gefühlen beherrschten Situation hin. Ein besonderes Gefühl, das du heute empfindest, wird mit der Zeit wachsen. Dies ist eine Zeit, in der eine neue Freundschaft entstehen kann.

Wenn diese Karte den aus den Mondtabellen entnommenen gegenwärtigen Mond darstellt, geben die Tierkreiszeichen weitere Erklärungen.

MOND IM KREBS – Dies ist das natürliche Zeichen des Mondes und im Krebs sind Gefühle am stärksten. Sie hängen aber auch sehr in der Vergangenheit fest und neue Gefühle müssen stets mit vergangenen Erfahrungen verglichen werden, um ihre Gültigkeit zu überprüfen.

MOND IM SKORPION – Der Mond in diesem Zeichen ist äußerst leidenschaftlich. Das kleinste Versprechen und die sanftesten romantischen Regungen können sich zu ganz extremen Gefühlen ausweiten.

MOND IN DEN FISCHEN – Dieses Zeichen idealisiert Gefühle und die Grenze zwischen Phantasie und Realität ist schwer zu ziehen. Fische machen beinahe jedes Zugeständnis, um Gefühle wachsen zu lassen.

2. Mond im ersten Viertel in Wasser

Blätter · Wahl

Wenn der Mond sich in das erste Viertel bewegt und 90 Grad von der Sonne entfernt steht, ist sein Gesicht halb dunkel und halb beleuchtet und alles ist im Gleichgewicht. Gefühle können in jede Richtung ausschlagen und es muss eine Wahl getroffen werden. Jetzt musst du entscheiden, ob du dich mit ganzem Herzen auf eine emotionale Situation oder eine Partnerschaft einlassen willst. Ein erfolgreicher Ausgang der Aktion ist durchaus wahrscheinlich.

Wenn diese Karte den aus den Mondtabellen entnommenen gegenwärtigen Mond darstellt, geben die Tierkreiszeichen weitere Erklärungen.

MOND IM KREBS – Dies ist die Zeit, die alles aufwiegen kann. Eine Entscheidung, die auf vergangenen Erfahrungen beruht, wird getroffen. Es herrscht eine optimistische Grundhaltung vor.

MOND IM SKORPION – Du verspürst einen machtvollen Drang, die Dinge in die von dir gewünschte Richtung zu lenken. Du setzt deine Gefühle überzeugend ein, um die Situation entsprechend zu beeinflussen.

MOND IN DEN FISCHEN – Entscheidungen werden von starken idealistischen Gefühlen gefärbt und die Möglichkeit, das Gewöhnliche in etwas Phantastisches zu verwandeln, tut sich auf.

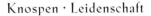

3. BUCKLIGER MOND IN WASSER

Knospen · Leidenschaft

Während der Mond in dieser Phase weiter zunimmt, wird der Ausgang einer Angelegenheit, an der du beteiligt bist, klarer und das Bedürfnis, die Sache zur erwünschten Vollendung zu bringen, ist äußerst stark. Das Ganze wird nun zu einer alles durchdringenden Leidenschaft.

Wenn diese Karte den aus den Mondtabellen entnommenen gegenwärtigen Mond darstellt, geben die Tierkreiszeichen weitere Erklärungen.

MOND IM KREBS – Es herrscht ein angenehmes Wohlbefinden vor und du fühlst dich sicher. Du erlebst eine unwiderstehliche Gefühlswallung, was dazu führt, dass du dich der betreffenden Angelegenheit völlig verpflichtet fühlst.

MOND IM SKORPION – In diesem leidenschaftlichsten aller Zeichen ist die Triebkraft der erzeugten Gefühle überwältigend. Nichts kann die extreme Natur der hier entstehenden Emotionen abschwächen.

MOND IN DEN FISCHEN – Die Kluft zwischen Phantasie und Realität erscheint kleiner als üblich und du wirst von den Gefühlen des Augenblicks mitgerissen, ohne umkehren zu können.

4. Vollmond in Wasser

Blüte · Erfüllung

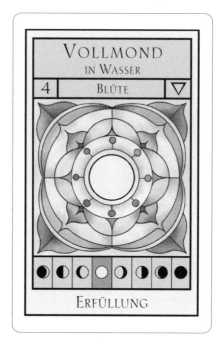

Dies ist eine Phase, die den erfolgreichen Ausgang einer emotionalen Angelegenheit andeutet. Vorhergehende Ereignisse haben sich positiv und in der erhofften Weise entwickelt. Eine emotional sichere und befriedigende Situation ist erreicht worden. Du bist zufrieden.

Wenn diese Karte den aus den Mondtabellen entnommenen gegenwärtigen Mond darstellt, geben die Tierkreiszeichen weitere Erklärungen.

MOND IM KREBS – Krebs ist traditionell das Zeichen der Mutterschaft und diese Phase entspricht der Geburt eines gesunden Kindes. Du erfährst ein Gefühl der Erleichterung, des Stolzes und einen deutlichen Beschützerinstinkt.

MOND IM SKORPION – Jetzt, nachdem das erwünschte emotionale Ziel erreicht wurde, kann die extreme Natur dieses Zeichens dazu führen, dass du übertrieben dramatisch oder geheimnisvoll bezüglich der ganzen Angelegenheit wirst.

MOND IN DEN FISCHEN – Dies ist eine Zeit der Euphorie. Alles, was du dir vorgestellt hast, ist wahr geworden. In Beziehungsangelegenheiten besteht die Gefahr, die Geliebte oder den Geliebten auf ein zu hohes Podest zu stellen.

5. SCHWINDENDER MOND IN WASSER

Frucht · Verpflichtung

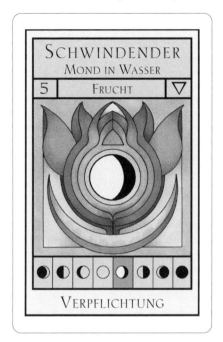

Diese Phase weist auf einen gefühlsmäßigen Gewinn aus vergangenen Entwicklungen hin. Die Ernte wird jetzt eingebracht. Innerhalb einer Beziehung kann dies die Geburt eines Kindes oder eine andere fruchtbare Entwicklung bedeuten.

Wenn diese Karte den aus den Mondtabellen entnommenen gegenwärtigen Mond darstellt, geben die Tierkreiszeichen weitere Erklärungen.

MOND IM KREBS – Der Mond symbolisiert in dieser Phase und in seinem natürlichen Zeichen Geburt und Elternschaft. Das deutet darauf hin, dass du einer emotionalen Entscheidung, die du in der Vergangenheit getroffen hast, vollkommen verpflichtet bist.

MOND IM SKORPION – In diesem Zeichen ist die schwindende Phase des Mondes sehr intensiv. Du beginnst, dich ganz für die positive Entwicklung der betreffenden Sache einzusetzen.

MOND IN DEN FISCHEN – Dies ist eine Zeit, in der du deine ganze Phantasie hingebungsvoll für die sichere emotionale Beziehung einsetzen kannst, die sich entwickelt hat.

6. Mond im letzten Viertel in Wasser

Niedergang · Manipulation

Während der Mond in einem gespannten rechten Winkel zur Sonne steht, trittst du in eine kritische Phase ein, in der deine Gefühle gemischt sind. Du musst deine wahren Gefühle bezüglich einer emotionalen Situation erforschen, bevor du dein Leben auf angenehme Weise fortsetzen kannst. Es erfordert vielleicht ein wenig Überzeugungsarbeit von deiner Seite, um die Dinge unter Kontrolle zu behalten.

Wenn diese Karte den gegenwärtigen Mond darstellt, geben die Tierkreiszeichen weitere Erklärungen.

MOND IM KREBS – Du vermutest, dass in der gegenwärtigen Situation nicht alles so ist, wie es zu sein scheint. Du hast das Bedürfnis, dich zu schützen, indem du das Schlimmste annimmst, und fürchtest, dass du das Unausweichliche akzeptieren musst.

MOND IM SKORPION – Du empfindest intensives Misstrauen gegenüber der Entwicklung, die eine emotionale Situation nimmt. Du schiebst sämtliche Hindernisse beiseite, um Klarheit in die Angelegenheit zu bringen.

MOND IN DEN FISCHEN – Du fühlst dich getäuscht oder nicht völlig auf dem Laufenden gehalten. Du möchtest einer Situation entfliehen, die nicht deinen Erwartungen entspricht.

7. BALSAMISCHER MOND IN WASSER

Samen · Ernüchterung

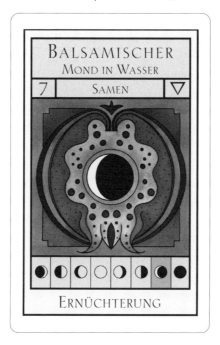

Das Licht des Mondes vermindert sich zu einer dünnen, nach rechts offenen Sichel, während er seinen Samenzustand erreicht. Dies ist die Zeit, in der du der Tatsache ins Auge sehen musst, dass eine emotionale Situation ihrem Ende entgegengeht. Obwohl es eine Zeit der Ernüchterung ist, wird schließlich etwas Gutes aus der Erfahrung hervorgehen.

Wenn diese Karte den gegenwärtigen Mond darstellt, geben die Tierkreiszeichen weitere Erklärungen.

MOND IM KREBS – Die wertvollen Erfahrungen, die du zurückbehältst, nachdem eine emotionale Beziehung zu Ende gegangen ist, können dir helfen, in künftigen Beziehungen weiser zu handeln.

MOND IM SKORPION – In einer Situation, die sich deiner Kontrolle entzieht, werden machtvolle Gefühle verinnerlicht. Der natürliche Instinkt des Skorpions verlangt nach Rache, aber du bist vielleicht in der Lage, diesem Gefühl einen positiven, kreativen Ausdruck zu geben.

MOND IN DEN FISCHEN – Auf einen endgültigen emotionalen Zusammenbruch reagierst du mit Flucht. Die Samen künftiger Ereignisse liegen unter einem Wust von neuen und unmöglich scheinenden Phantasien verborgen.

8. SCHWARZMOND IN WASSER

Schlafend · Isolation

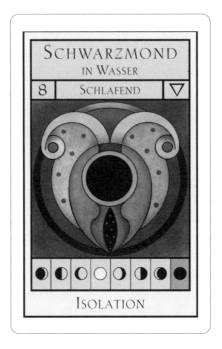

Wenn der Mond in einem Wasserzeichen all sein Licht verliert, wird der Ausdruck sämtlicher Gefühle gebremst. Du fühlst dich wie betäubt und weigerst dich, die verwundbaren Seiten deines Wesens einer Prüfung zu unterziehen. Befreie dich von den Bedürfnissen und Sorgen anderer Menschen und werde dir deiner selbst bewusst. Dies ist die Zeit dafür.

Wenn diese Karte den aus den Mondtabellen entnommenen gegenwärtigen Mond darstellt, geben die Tierkreiszeichen weitere Erklärungen.

MOND IM KREBS – Dies ist eine Zeit des vollständigen emotionalen Rückzuges. Du legst eine vorsichtige und misstrauische Einstellung allen emotionalen Annäherungen gegenüber an den Tag.

MOND IM SKORPION – Dies ist eine verschlossene und persönliche Zeit. Straff gezügelte Gefühle kommen allenfalls in alltäglichen Aktivitäten zum Ausdruck.

MOND IN DEN FISCHEN – Dies ist eine Zeit, in der du dich mit Alice im Wunderland vergleichen kannst. Zwar erlaubst du dir, andere Lebensweisen und andere Möglichkeiten zu erträumen, aber du begibst dich nicht in reale emotionale Niederungen.

DIE MONDGÖTTINNEN

„Ich bin die Mutter aller Dinge,
Gebieterin über alle Elemente,
die oberste der göttlichen Mächte,
Königin aller Höllenbewohner, Herrscherin über die,
die im Himmel wohnen,
allein und in einer Gestalt von allen Göttern
und Göttinnen offenbart.
Die Planeten des Himmels, die guten Winde der Meere und
das beklagenswerte Schweigen der Hölle gehorchen meinem Willen.
Mein Name und meine Göttlichkeit
werden auf der ganzen Welt verehrt, auf verschiedene Arten,
mit unterschiedlichen Ritualen und unter vielen Namen. "

Lucius Apuleius: *Der goldene Esel*

ISHTAR

Weiße Göttin – Fische – Wasser

MOTTO

Sei flexibel

Ishtar hält eine Schlange in der rechten Hand und hat den linken Arm um ihr heiliges Tier, den Löwen, geschlungen. Der Überlieferung zufolge fuhr sie einen von Löwen gezogenen Streitwagen. Vor ihr steht eine Pflanze in einem Topf. Sie symbolisiert jene Zauberpflanze, die Gilgamesch vom Meeresgrund holen wollte, um allen Menschen Unsterblichkeit zu verleihen. Die Schlange, die Ishtar in der Hand hält, wurde ausgeschickt, um Gilgamesch anzugreifen und damit zu verhindern, dass er die Zauberpflanze erreichte. Statt dessen verschlang die Schlange die Pflanze und erlangte so selbst Unsterblichkeit.

Auf der Karte ist Ishtars Brust enthüllt, weil sie unter ihren Anhängern als „Mutter der fruchtbaren Brust" bekannt war. Ihre Kleidung ist sowohl die einer Kriegerin als auch die einer Priesterin und verdeutlicht die beiden unterschiedlichen Seiten ihres Charakters – Kriegerin und Geliebte. Um ihren Hals trägt sie die Kette der Macht und Autorität.

In dem Feld unter dem Bild sehen wir das Symbol für das Wasserzeichen Fische und die Mondscheibe der Weißen Göttin.

DER MYTHOS

Ishtar war eine der mächtigsten Göttinnen im assyrischen Pantheon. Manche behaupteten, sie sei die Tochter von Sin, anderen zufolge war sie die Tochter von Anu. Diejenigen, die sie für die Tochter von Sin hielten, betrachteten sie als Kriegsgöttin, diejenigen, die sie für die Tochter von Anu hielten, als Göttin der Liebe.

Die Kriegerin Ishtar wurde immer in einem von sieben grimmigen Löwen gezogenem Streitwagen und mit einem Bogen in der Hand dargestellt. Sie war als „Herrin der Schlachten" bekannt. Als Göttin der Liebe und der Sinnlichkeit war sie kein bisschen sanfter. Wann immer ihre Wünsche vereitelt wurden, zeigte sie sich reizbar und gewalttätig.

In ihrer Jugend liebte Ishtar Tammuz, den Gott der Ernte. Es wird behauptet, dass ihre Liebe ihm den Tod brachte. Von Kummer verzehrt, begab sich Ishtar in die Unterwelt, weil sie hoffte, Tammuz retten zu können. An der Pforte zu jedem der sieben Kreise der Hölle legte sie ein Kleidungsstück ab. Nachdem sie in der Unterwelt angekommen war, wurde Ishtar gefangen genommen. Während ihrer Gefangenschaft konnte sich keine Kreatur auf der Erde fortpflanzen, und im Himmel machte man sich große Sorgen.

Sin, Ishtars Vater, bat Ea, ihm bei ihrer Rettung zu helfen, und Ereshkigal, die Königin der Unterwelt, wurde durch einen von Ea gewobenen Zauber gezwungen, Ishtar freizulassen. Ishtar wurde mit dem Wasser des Lebens besprengt und kehrte in die Freiheit zurück, wobei sie sich an jeder der sieben Pforten eines ihrer Gewänder zurückholte.

DIE BEDEUTUNG DER KARTE

Diese Weiße Göttin zeigt an, dass du standhaft bleiben und dich sehr dafür einsetzen musst, deine Ziele zu erreichen. Wenn du diese Karte gewählt hast, wirst du um etwas kämpfen müssen, das du wiedererlangen willst. Dabei kann es sein, dass du dich symbolisch bis auf das nackte Wesentliche entblößen musst. Gib alles andere auf, um diesen besonderen Kampf auszutragen. Und selbst, wenn du das tust, kann es sein, dass du schließlich doch um Unterstützung bitten musst.

Das Element der Fische ist das Wasser. Die Fähigkeit des Wassers, alle Hindernisse zu umfließen oder abzutragen steht im Zentrum der Bedeutung dieser Karte. Wenn du diese Karte gewählt hast, ist der März in bezug auf deine Frage ein wichtiger Monat.

ARTEMIS

Weiße Göttin – Widder – Feuer

ARTEMIS

MOTTO

Bleib ruhig, wenn du kannst!

Wie auf frühen etruskischen Bildern steht Artemis, die Jägerin, hier gelassen und wachsam mit ausgebreiteten Schwingen. Als Schwester des Sonnengottes Apollo gehört Artemis ebenfalls zum Reich des Lichts, aber ihr Bereich ist der des Mondes. Ihr transparentes blaues Gewand steht für das kühle Mondlicht. Rechts und links von ihr sind die Tiere dargestellt, welche die gegenteiligen Aspekte ihres Charakters symbolisieren. Mit der rechten Hand umklammert sie eine Löwin, den Teil ihrer Natur, der die Jägerin ist − grausam, rachsüchtig, vergnügungssüchtig und wetteifernd. Mit ihrer linken Hand umklammert sie einen Hirsch, den Teil ihrer Natur, der schnell und sicher auf den Füßen ist, aber letztendlich immer das Opfer bleibt. Sie trägt die Armspangen eines Bogenschützen und den Jungfrauengürtel um die Taille.

In dem Feld unter dem Bild sehen wir das Symbol für das Feuerzeichen Widder und die Mondscheibe der Weißen Göttin.

DER MYTHOS

Artemis, die Patronin der jungen Mädchen, die jungfräuliche Jägerin und Herrin aller wilden Geschöpfe, wird − wie viele ihrer Schwestergöttinnen − ganz unterschiedlich charakterisiert. Ihr Temperament deckt die ganze Bandbreite von grausam und rachsüchtig bis sanft und gütig ab. Einen Tag nach ihrem Zwillingsbruder Apollo geboren, war sie wie er eine Gottheit des plötzlichen Todes. Sie wählte Arkadien als Wohnsitz und wurde in dieser bergigen Gegend von ihrer Jagdhundemeute und zahlreichen Okeaniden und Nymphen begleitet. Es war gefährlich, ihr von Angesicht zu Angesicht zu begegnen. Actaeon wurde von seinen eigenen Jagdhunden getötet, nachdem er zufällig beobachtet hatte, wie Artemis und ihre Jungfern in einem Teich badeten.

Der einzige Mann, der Artemis ansehen durfte, war Orion, aber ihre Beziehung endete nicht glücklich. Apollo forderte seine Schwester auf, ihre Geschicklichkeit im Umgang mit Pfeil und Bogen unter Beweis zu stellen. Das Ziel − ein kleines, weit entferntes Objekt, das ihrem unfehlbaren Auge nicht entging − entpuppte sich als der schnell schwimmende Orion: Artemis hatte ihm durch den Kopf geschossen. Einer anderen Version zufolge hatte Orion Artemis versehentlich berührt, während er sie auf einem Jagdausflug begleitete. Wegen dieser Beleidigung befahl sie einem bereitwilligen Skorpion, ihn zu Tode zu stechen.

Während sie sich sonst ganz dem energischen und manchmal rauen Jagdleben verschrieben hatte, erlaubte sich Artemis manchmal den Luxus vornehmerer Unterhaltung. Wie Apollo war sie musikalisch und schloss sich dem Chor der Musen und Grazien an, nachdem sie sich elegant angezogen und ihren Bogen an der Tür zum Palast ihres Bruders zurückgelassen hatte.

DIE BEDEUTUNG DER KARTE

Die Göttin macht dich darauf aufmerksam, dass dein eigenes Ungestüm und deine Schlauheit genau das zerstören können, was du dir wünschst. Obwohl du versucht bist, in Konkurrenz zu treten, solltest du dich möglichst nicht auf unbesonnene Taten und Säbelrasseln einlassen. Statt dessen legt die Karte einen ruhigeren, raffinierteren Zugang zu der in Frage stehenden Angelegenheit nahe. Als Weiße Göttin fordert Artemis eine kreative Antwort auf deine Frage.

Das Element Feuer im Widder ist von Natur aus heißblütig und ungeduldig. Pass auf, dass du nicht zu Fall kommst. Wenn du diese Karte gewählt hast, ist der April ein wichtiger Monat in bezug auf deine Frage.

VENUS

Weiße Göttin – Stier – Erde

MOTTO

Ein bisschen von dem, was du magst, tut dir gut.

Die Göttin sitzt auf einem Thron, der mit einem prächtigen Schwan geschmückt ist. Der Überlieferung nach reiste Venus in einem von sechs Schwänen gezogenen Wagen durch den Himmel. Ihr Haar fällt in weichen Wellen nach vorn und erinnert an die schaumigen Wellen des Ozeans, aus denen sie der Sage nach hervorgegangen ist. Ihr Kleid hat die Farbe der korallenroten Höhlen tief unten im Meer, in denen die Nymphen ausgebildet werden.

In ihrer linken Hand hält sie den Spiegel der Venus, der zum universellen Symbol für das Weibliche geworden ist. Dieses Zeichen ist auch das astrologische Symbol für den Planeten Venus, den Morgen- und Abendstern. In der rechten Hand hält die Göttin einen Stab, der von einer Lotusblüte gekrönt wird. Die sich öffnende Blüte ist rot, die Farbe, die ihrem Liebhaber Mars zugeordnet wird.

In dem Feld unter dem Bild sehen wir das Symbol für das Erdzeichen Stier und die Mondscheibe der Weißen Göttin.

DER MYTHOS

Venus war die römische Göttin der Liebe, der Schönheit, der Ehe und des Lachens. Sie wurde allgemein als Tochter von Jupiter und Dione angesehen. Eine andere Legende besagt jedoch, dass sie aus den schäumenden Wellen des Ozeans hervorgegangen ist und vom Westwind an den Stränden Zyperns angeschwemmt wurde. Dort soll sie von den Horen entdeckt worden sein, die sie mitnahmen, um sie den Göttern zu zeigen, die von ihrer erstaunlichen Schönheit bezaubert waren. Sie hatte viele Namen. Venus Genetrix wurde als Mutter des Helden Aeneas verehrt, der Rom gegründet haben soll. Venus Felix war als Glücksbringerin bekannt und Venus Victrix als Siegesgöttin.

Sie war die Frau von Vulcan, dem eher häßlichen Gott des vulkanischen Feuers und der Metallbearbeitung, aber sie war ihm nicht besonders treu. Sie hatte viele Liebhaber, darunter Mars, Merkur und den gutaussehenden Schafhirten Adonis, denen sie sich im Namen der Liebe heimlich hingab.

Ihre geheimes Treffen mit dem heißblütigen Mars sollte von dessen Wächter Alektryon bewacht werden. Der allerdings vernachlässigte irgendwann seine Pflichten, was zur Folge hatte, dass Apollo die Liebenden entdeckte und sie der Lächerlichkeit und Missbilligung aller anderen Götter und Göttinnen preisgab. Aus der Liaison zwischen Mars und Venus sind viele Nachkommen hervorgegangen, darunter ein Sohn namens Cupid und eine Tochter namens Harmonia.

DIE BEDEUTUNG DER KARTE

Die Göttin steht für die Liebe in all ihren Formen, von reiner oder idealer Liebe bis hin zu lustvollem Begehren. Sie weist auf einen Hang zum Vergnügen und zu den schönen Dingen des Lebens hin und auf den offenkundigen Einsatz von persönlichem Charme oder Verführungskünsten, um jenes Vergnügen zu bekommen. Sie macht aber auch klar, dass die Sucht nach Genuss ihren Preis hat. Wenn du bereit bist, diesen Preis zu zahlen, dann soll es so sein.

Im allgemeinen ist Venus eine gütige Göttin, die einen guten oder fruchtbaren Ausgang der Frage andeutet. Als Weiße Göttin ermöglichst sie einen starken, jugendlichen und kreativen Zugang zu der Situation.

Das Element Erde im Stier liebt alles, was mit Sinnlichkeit und Bequemlichkeit zu tun hat, und neigt dazu, auf gewohnte Weise langsam und sicher zu handeln. Wenn du diese Karte gewählt hast, ist der Mai ein bedeutungsvoller Monat in bezug auf deine Frage.

ATHENE

Weiße Göttin – Zwillinge – Luft

MOTTO

Du hast zu viele Eisen im Feuer

Die athletische Athene trägt einen Helm auf dem Kopf, das Fell eines wilden Tieres über den Schultern sowie Speer und Schild eines Kriegers in den Händen. Um die Taille trägt sie den Gürtel, den ihr Vater Zeus ihr geschenkt hat. Die Haltung dieser Kriegsgöttin ist jedoch eher defensiv als angriffslustig. Ihr linker Unterschenkel ist mit einem Beinschutz versehen und sie blickt nach hinten auf ihren Köcher voller Pfeile. Um ihr rechtes Handgelenk windet sich eine Schlange und auf ihrem Schild ist das Bild eines vierflügeligen Pferdes zu sehen. Athene wurde als Göttin der Pferde und Ochsen verehrt.

In dem Feld unter dem Bild sehen wir das Symbol für das Luftzeichen Zwillinge und die Mondscheibe der Weißen Göttin.

DER MYTHOS

Athene gehört zu den am meisten verehrten Göttinnen des griechischen Pantheons. In der römischen Mythologie war sie als Pallas Athene bekannt. Athene entsprang voll ausgewachsen und gerüstet der Stirn ihres Vaters Zeus und war sein Lieblingskind. Er gab ihr seinen Schild, seinen Gürtel und seine wichtigste Waffe, den Donnerkeil. Als jungfräuliche Göttin wurde sie auch Parthenos (Jungfrau) genannt.

Als Kriegsgöttin erfreute sie sich an Schlachten und beteiligte sich am Krieg gegen die Riesen. Sie unterstützte die Griechen nicht nur im Trojanischen Krieg, sondern gesellte sich körperlich im Kampf zu ihnen. Helden, die sie als ihrer Wertschätzung würdig erachtete, gewährte sie ihren Schutz. Sie half Herkules bei der Bewältigung seiner zwölf Aufgaben, unterstützte Perseus im Kampf gegen die schreckliche Gorgo und beschützte Odysseus auf seiner Rückreise von Troja.

Der wichtigste ihr geweihte Tempel war das Parthenon in Athen. Es soll zu Ehren des Olivenbaumes errichtet worden sein, den Athene den Bewohnern von Athen schenkte. Athene beschützte Städte ebenso wie einzelne Menschen. Sie war die Göttin der Architektur, des Gewerbes und der Künste und, in der späteren Mythologie, der Weisheit. Als Göttin der Weisheit war die Eule ihr Emblem.

Athene war auch die Patronin der Landwirtschaft und der weiblichen Fertigkeiten, besonders des Spinnens und des Webens. Ihre Geschicklichkeit im Spinnen wurde von Arachne in Frage gestellt, die einen schönen Wandteppich webte, der das Leben und die Amouren der Götter darstellte. Wütend darüber verwandelte Athene sie in eine Spinne, die auf immer spinnen mußte.

Athene machte der Menschheit viele Geschenke, unter anderem den Pflug, die Flöte, die Töpferscheibe und die Kunst, wilde Tiere zu zähmen, Schiffe zu bauen und Schuhe herzustellen.

DIE BEDEUTUNG DER KARTE

Die Göttin weist darauf hin, dass du eine Fülle an ererbten Talenten und Geschenken besitzt. Diese Talente können zum eigenen Nutzen oder zum Nutzen anderer Menschen eingesetzt werden. Athene deutet an, dass die alleinige Sorge um die eigenen Interessen vielleicht nicht der richtige Weg zu dem Ziel ist, das du erreichen willst. Es kann sein, dass du deine Wünsche auf positivere und erfüllendere Weise verwirklichen kannst, wenn du deine Fähigkeiten in den Dienst anderer stellst. Die letzte der jungen Weißen Göttinnen betrachtet jedes Problem als eine Gelegenheit, kreativ zu denken und zu handeln.

Das Element Luft in den Zwillingen ist wendig und vielseitig interessiert. Es besteht die Gefahr, dass du in der gegenwärtigen Situation zu zerstreut bist. Wenn du diese Karte gezogen hast, ist der Juni ein bedeutungsvoller Monat in bezug auf deine Frage.

HERA

Rote Göttin – Krebs – Wasser

<u>MOTTO</u>

Es besteht kein Grund, irgend etwas aufs Spiel zu setzen.

Hera, die „Göttin des Himmels" und Ehefrau des Göttervaters Zeus, sitzt in höchster Würde auf ihrem goldenen Himmelsthron. Auf dem Kopf trägt sie die königliche Krone, die mit ihren heiligen Vögeln, den Pfauen, geschmückt ist. In ihrer linken Hand hält sie den Granatapfel. Seine vielen Samen symbolisieren Leben und Mutterschaft. In der rechten Hand hält sie den Stab der Autorität, der von der Mondsichel gekrönt ist, die sich um den Sonnenball wölbt. Ganz oben auf der Spitze des Stabes sitzt ein Kuckuck, Es ist Zeus in jener Verkleidung, in der er Hera ursprünglich erschien.

In dem Feld unter dem Bild sehen wir das Symbol für das Wasserzeichen Krebs und die Mondscheibe der Roten Göttin.

DER MYTHOS

Heras Ehe mit dem wilden Zeus war eine fortlaufende häusliche Auseinandersetzung mit himmlischen Donnerschlägen und unaufhörlich durch das göttliche Wohnzimmer fliegendem Geschirr. Üblicherweise wird Hera als bescheidene, edle Matrone dargestellt, ihre Krone weist sie jedoch als Königin des Pantheons aus. Die Tempel, in denen sie verehrt wurde, standen oft auf den Gipfeln der höchsten Berge, weil man dort ihrer erhabenen Gegenwart so nah wie möglich sein konnte.

Zeus näherte sich Hera zunächst als Kuckuck getarnt. Es war Winter und Hera hatte Mitleid mit dem frierenden, durchnässten Kuckuck, den sie fand. Sie nahm den Vogel vorsichtig hoch und hielt ihn an ihre Brust, um ihn zu wärmen. Sofort nahm der Kuckuck wieder seine normale Gestalt an und Hera musste mit einem übermäßig verliebten Zeus um ihre Ehre kämpfen. Die Vereinigung wurde erst vollzogen, nachdem er versprochen hatte, sie zu heiraten.

Hera repräsentiert als Göttin der Frauen, der Ehe und der Mutterschaft den hochgradig idealisierten Typ der Ehefrau. Mit Zeus hatte sie vier Kinder, Ares, Hephaistos, Ilythia und Hebe, und blieb trotz der fortwährenden Untreue ihres Mannes eine beständige und treue Ehefrau.

Zwar versuchte sie, von Eifersucht gequält, ständig, ihn zu kontrollieren, aber ohne Erfolg. Zeus bestrafte sie streng, indem er sie schlug oder fesselte und aus den Himmeln verwies, wann immer sie versuchte, sich aufzulehnen. Wie Athene versuchte sie, ohne ihn Kinder hervorzubringen, aber es gelang ihr nur, die Bestie Typhon in die Welt zu setzen. Schließlich unterwarf sie sich und lebte ihren Zorn über Zeus Übeltaten an den vielen weiblichen Wesen aus, mit denen er tändelte, und an den Kindern ihrer Rivalinnen. Normalerweise übte sie Vergeltung, indem sie die Unglücklichen mit Tod, Schmerz, Gefangenschaft oder Verbannung strafte. All das konnte Zeus jedoch nicht davon abhalten, auch weiterhin anderen Frauen nachzustellen.

DIE BEDEUTUNG DER KARTE

Die Göttin repräsentiert Reife und Würde. Sie benimmt sich ihrem Status entsprechend und hat die Macht, ihn zu behaupten, was ihr den Respekt anderer einbringt. Sie weist darauf hin, dass es, manchmal einfach die beste Lösung ist, die Dinge ihren Lauf nehmen zu lassen, auch wenn man das, was geschieht, nicht unbedingt gutheißen kann. Als erste der Roten Göttinnen steht Hera für eine reife, unterstützende und bewahrende Auffassung vom Leben.

Das Element Wassers im Krebs äußerst sich im Umsorgen und Ernähren jener, die als „Familie" angesehen werden, egal wie ungeraten sie sich benehmen. Dies ist das mütterlichste aller Zeichen. Wenn du diese Karte gezogen hast, ist der Juli ein bedeutungsvoller Monat in bezug auf die gestellte Frage.

ISIS

Rote Göttin – Löwe – Feuer

<u>MOTTO</u>

Ehrlichkeit und Integrität werden angemessen belohnt.

Isis, die größte aller ägyptischen Göttinnen, Schwester-Frau des Osiris und Mutter des Horus, sitzt auf ihrem Thron. Sie trägt die geflügelte Geierkrone und darüber die Sonnenscheibe, die von den Hörnern der heiligen Kuh Hathor gehalten wird. In ihrer Linken hält sie Ankh, das Symbol des ewigen Lebens, in der Rechten eine voll erblühte Lotuspflanze. Ihre Brust ist entblößt – ein Symbol für Mutterschaft. Das Schachbrettmuster auf ihrem Thron symbolisiert ihre Herrschaft über Tag und Nacht, hell und dunkel, Tod und Leben. Auf der Wand hinter ihrem Thron ist die Hyroglyphe Ast zu sehen, die „Sitz der Isis" bedeutet.

In dem Feld unter dem Bild sehen wir das Symbol des Feuerzeichens Löwe und die Mondscheibe der Roten Göttin.

DER MYTHOS

Isis war die Tochter von Greb und Nut, den Gottheiten der Erde und des Himmels. Als ihr Ehemann und Bruder Osiris König von Ägypten wurde, übernahm sie die Rolle der Lehrerin für ihre Untertanen. Sie brachte ihnen das Weben und Spinnen bei und zeigte ihnen, wie sie Mehl mahlen und einfache Heilmethoden anwenden konnten. Sie führte die Ehe ein, um die Beziehungen zwischen Männern und Frauen auf eine solide Grundlage zu stellen. Wenn ihr Mann abwesend war, übernahm sie die Rolle der Regentin und herrschte weise und mit großer Umsicht.

Als Osiris von seinem listigen Bruder Set ermordet wurde, brach Isis, von Kummer verzehrt, sofort auf, um nach der Leiche zu suchen. Schließlich fand sie die Kiste mit der Leiche im Stamm einer Tamariske und versteckte sie in den Sümpfen von Buto. Aber Set fand sie doch wieder und schnitt sie in vierzehn Teile.

Der Gott Thot gab Isis äußerst mächtige Zauberworte, und nachdem sie die Leiche ihres Ehemanns gefunden hatte, war sie mit Hilfe dieser Wort in der Lage, ihn wieder zum Leben zu erwecken und sich mit ihm zu vereinigen. Als Ergebnis dieser Umarmung empfing und gebar sie das Kind Horus. Zusammen mit ihrem Sohn flüchtete sie in ein Versteck und wehrte alle Gefahren mit ihren magischen Kräften ab. Sie blieb im Verborgenen bis ihr Sohn alt genug war, um seinen rechtmäßigen Platz als Herrscher von Ägypten einzunehmen.

Isis hatte starke magische Kräfte und war die einzige Gottheit, die den geheimen Namen des Ra entdeckte. Als Inbegriff der positiven, bescheidenen, aktiven, liebevollen, treuen, kultivierten und empfindsamen Göttin ist Isis eine Seltenheit unter den Göttinnen der Welt.

DIE BEDEUTUNG DER KARTE

Die Göttin Isis füllte die traditionell weiblichen Rollen gleich gut aus wie die männlichen. Sie war stolz und beschützte alle, die ihr lieb waren. Ja, sie wäre für ihr Wohlergehen bis ans Ende der Welt gegangen. Sie steht für Treue und Macht, Bescheidenheit und Empfindsamkeit gleichermaßen.

Isis erinnert dich daran, dass ruhige, unaufdringliche Ehrlichkeit und Entschlossenheit nötig sind, um das gewünschte Ergebnis zu erzielen. Isis ist eine Rote Göttin und repräsentiert die Würde und Autorität einer Herrscherin. Sie fordert dich auf, Verantwortung zu übernehmen und den Weg einzuschlagen, der zur Lösung der in Frage stehenden Angelegenheit führt.

Das Element Feuer im Löwen übernimmt die Führung und urteilt gerecht. Wenn du diese Karte gezogen hast, ist der August ein bedeutungsvoller Monat in bezug auf die gestellte Frage.

DEMETER

Rote Göttin – Jungfrau – Erde

MOTTO

Der Spatz in der Hand ...

Die mütterliche Gestalt der Göttin Demeter hat beide Arme in demütig bittender Haltung zum Himmel erhoben. Ihr rot-grüner Umhang erinnert an die Farben des Feuers und der Erde. Mit Getreideähren durchflochten fällt ihr Haar in Locken herab und um ihren üppigen Körper. Um die Taille trägt sie den Gürtel der Mutterschaft, der ebenfalls Feuer- und Erdfarben miteinander verbindet. Aus der Erde unter ihr wachsen Getreide und Mohnblumen. Beide Pflanzen werden traditionell mit ihr in Verbindung gebracht. Die Wellen und Wassertropfen am unteren Rand der Karte symbolisieren, wie Demeter im Fluss Ladon gereinigt wurde, nachdem der Meeresgott Poseidon sie in Gestalt eines Hengstes vergewaltigt hatte.

In dem Feld unter dem Bild sehen wir das Symbol des Erdzeichens Jungfrau und die Mondscheibe der Roten Göttin.

DER MYTHOS

Demeter ist eine der alten volkstümlichen Göttinnen und symbolisiert die ewige Mutter. Nachdem ihre geliebte Tochter Persephone von Hades, dem Gott der Unterwelt, entführt worden war, war Demeter außer sich und machte sich sofort auf die Suche nach ihrem Kind.

Auf ihren Reisen traf sie den überaus wollüstigen Poseidon. Weil ihr seine Annäherungen nicht gefielen, verwandelte sie sich in eine Stute und versteckte sich in der Herde der weidenden Pferde, die König Oncus gehörten. Poseidon ließ sich jedoch nicht von seinem Ansinnen abbringen. Er verwandelte sich in einen Hengst, folgte ihr und erreichte schließlich, was er sich vorgenommen hatte. Als ihr klar wurde, was passiert war, war Demeter verständlicherweise wütend und kühlte ihren Zorn im Fluss Ladon. Später gebar sie einen Hengst mit schwarzer Mähne und eine Tochter, deren Name nur innerhalb der Mysterien ausgesprochen werden durfte. Sie wurde Kore, „das Mädchen", genannt.

Während die trauernde Demeter weiterhin nach ihrer Tochter Persephone suchte, wurde die Erde von Hungersnöten heimgesucht. Es wuchs kein Getreide mehr und alle Pflanzen waren eingegangen. Um eine Katastrophe zu vermeiden, schickte Zeus Hermes los, um Persephone zu retten, aber der schlaue Hades hatte ihr Granatapfelsamen zu essen gegeben, bevor sie die Unterwelt verließ, und sie damit zu seiner Ehefrau gemacht. Zeus verhandelte mit ihm und sie vereinbarten, dass Demeters Tochter nur vier Monate im Jahr bei Hades leben würde. Zum Dank an die, die ihr geholfen hatten, schenkte Demeter der Erde das Getreide.

DIE BEDEUTUNG DER KARTE

Diese Göttin symbolisiert den Verlust von etwas, das jemandem oder dir selbst lieb und teuer ist. Obwohl das, was verlorenging, letztendlich zurückgegeben werden wird, geschieht dies unter bestimmten Bedingungen und nicht so, wie du es erwartet hast. Im Zusammenhang mit der Frage ist Betrügerei im Spiel und du musst vielleicht einen Kompromiss eingehen. Jemand zieht Vorteile aus deiner Verwundbarkeit.

Die dritte der Roten Göttinnen, Demeter, repräsentiert Reife und Erhaltung durch systematisches Vorgehen sowie das Streben nach Vollkommenheit. Das Element Erde in der Jungfrau sorgt dafür, dass die Bedürfnisse aller erfüllt werden, damit die Dinge so geschehen können, dass alle Betroffenen zufrieden sind.

Wenn du diese Karte gezogen hast, ist der September bezüglich deiner Frage ein bedeutungsvoller Monat.

GAIA

Rote Göttin – Waage – Luft

GAIA

MOTTO

Achte auf die Schwachstellen.

Die Erdgöttin Gaia, Quelle und Erhalterin allen Lebens, steht in einer Haltung, die sowohl Weiblichkeit als auch Macht zum Ausdruck bringt. Die Urmutter und älteste aller Gottheiten hält einen Lotusstab in der rechten Hand. Das Öffnen und Schließen der Lotusblüte symbolisiert die sich ewig erneuernde Essenz des Lebens. Der Stab wird von einem sichelförmigen Mond gekrönt, über dem eine Kristallkugel schwebt. Diese Kugel weist auf Gaias Fähigkeit hin, die Zukunft der Menschheit vorherzusagen. Links von ihr entspringt eine Pflanze, die sich in ihr Haar windet und sie umschlingt.

In dem Feld unter dem Bild sehen wir das Symbol des Luftzeichens Waage und die Mondscheibe der Roten Göttin.

DER MYTHOS

Gaia, die Erdmutter, existierte vor dem Beginn der Zeit und gebar die Zeit. Nachdem das Universum erschaffen worden war, musste es nur noch bevölkert werden. Also vereinte sich Gaia mit ihrem Sohn Uranus und gebar die erste Rasse der Götter – die zwölf Titanen, sechs männliche und sechs weibliche. Als nächstes schufen sie die einäugigen Zyklopen und schließlich brachte sie drei Monster zur Welt, die als die Hekatoncheiren bekannt waren. Es waren schreckliche Kreaturen mit fünfzig Köpfen und fünfzig Armpaaren. Uranus war so entsetzt über sie, dass er sie sofort nach ihrer Geburt tief in der Erde gefangen setzte.

Zuerst betrauerte Gaia den Verlust der Hekatoncheiren, dann wurde sie auf ihren Ehemann wütend. Mit ihrem letztgeborenen Titanensohn Kronos spann sie ein Komplott gegen Uranus. Kronos schnitt die Genitalien seines schlafenden Vaters mit einer Sichel ab und warf sie ins Meer. Schwarzes Blut tropfte aus Uranus Wunde in die Erde. Wo die Tropfen hinfielen, gebar die Erde die Furien, missgestaltete Riesen, und die Eschennymphen, die Meliai. Aphrodite wurde aus dem weißen Schaum geboren, der sich um die auftauchenden Überreste bildete.

Während sich die Machtverhältnisse im Olymp veränderten, behielt Gaia ihre Macht und wurde von den anderen Göttern und Göttinnen geachtet. Gaia führte Ehen zusammen, kümmerte sich um die Kranken und war das berühmteste Orakel im großen divinatorischen Zentrum von Delphi. Die Erde in Delphi brachte einen seltsamen Atem oder Wind hervor, der Menschen die Fähigkeit zur Prophezeiung gab. Gaia wurde als universale Mutter verehrt, welche die Menschen sowohl mit lieblichen Kindern als auch mit allen Früchten der Erde segnete.

DIE BEDEUTUNG DER KARTE

Wenn du die Göttin Gaia gezogen hast, bist du bereit, alles zu tun, um das zu beschützen, was dir wichtig und wertvoll ist. Sie deutet an, dass etwas, das du hervorgebracht hast, für andere nicht akzeptabel ist und dass du vielleicht drastische Maßnahmen ergreifen musst, um das zu beschützen, was du erschaffen hast. Letztendlich wird deine extreme Reaktion etwas Gutes hervorbringen. Gaia ist die letzte der Roten Göttinnen. Sie spielt eine bewahrende Rolle und versucht, beide Seiten einer Situation zu verstehen, bevor sie entschieden handelt.

Es ist typisch für das Element Luft in Waage, das Für und Wider jeder Situation abzuwägen, um sicherzugehen, dass die daraus folgende Entscheidung richtig ist.

Wenn du diese Karte gezogen hast, ist der Oktober ein wichtiger Monat in bezug auf deine Frage.

LILITH

Schwarze Göttin – Skorpion – Wasser

<u>MOTTO</u>

Nimm die Herausforderung an.

Die geflügelte Lilith hält jeweils einen Ring und einen Stab, sumerische Symbole der königlichen Herrschaft, in ihren erhobenen Händen. Ihr sinnlicher nackter Körper steht im Gegensatz zu ihren enormen Krallenfüßen. Auf dem Boden neben ihr sitzt ihre Tochter, die Eule, der Vogel der Weisheit. Eine Schlange, das traditionelle Symbol für Leben, Tod und Transformation, schlängelt sich um ihre Beine. Ihr Kopf und ihr Körper wird von einem schwarzen Mond umrahmt und sie selbst ist die Repräsentation des Schwarzen Mondes. Aus ihrem Haar wächst der Baum des Lebens, der Anlass für den Sündenfall der Menschheit war. Das Schwert an ihrer Seite steht für Opfer und Ausrottung. Die flammende Kugel am Griff dieses Schwertes erinnert an Reinigung und spirituelle Entwicklung.

In dem Feld unter dem Bild sehen wir das Symbol des Wasserzeichens Skorpion und die Mondscheibe der Schwarzen Göttin.

DER MYTHOS

Die Figur der Lilith ist voll von Widersprüchen und wurde aus einer Vielzahl von Legenden und Überlieferungen gewoben. Jüdischen Schriften zufolge wurde sie zusammen mit Adam erschaffen. Sie weigerte sich, Adams Forderung nach Unterwerfung nachzugeben und floh vor ihm, indem sie sich des Unaussprechlichen Namen Gottes bediente. Adam beklagte sich bei Gott über seine Einsamkeit. Daraufhin wurde Eva erschaffen und der „Sündenfall" und die Vertreibung aus dem Paradies folgten.

Adam schob die Schuld für den Sündenfall auf Eva, trennte sich von ihr und vereinigte sich eine Zeitlang erneut mit Lilith. In dieser Zeit gebar Lilith eine Reihe von Kindern, die alle Dämonen wurden. Nach Adams Aussöhnung mit Eva wurde Lilith die Königin der Dämonen; in einigen Versionen der Geschichte ist sie die Gemahlin Samuels, in anderen bleibt sie ohne Partner. Als Königin der Dämonen wurde ihr nachgesagt, dass sie Neugeborene in ihren Wiegen tötete.

Wenn wir die Geschichten über Lilith von all dem befreien, was der mittelalterliche Mystizismus und die Dämonologie hinzugefügt hat, ist sie der erste unabhängige weibliche Geist, den wir kennen. Die rebellische Frau, die Gleichberechtigung verlangt, war der damaligen männerdominierten Gesellschaft zu unbequem. Daher versuchte man, Lilith als Archetyp der „schlechten Frau" in die Tiefen der Dämonenwelt zu stürzen.

DIE BEDEUTUNG DER KARTE

Wenn du die Karte der schwarze Göttin Lilith gewählt hast, musst du entschiedene Schritte unternehmen, um mutig gegen alle Widrigkeiten anzugehen. Es kann sein, dass Ereignisse und Menschen derzeit kein gutes Licht auf dich werfen, aber das musst du ignorieren. Mach dich darauf gefasst, dass du leidenschaftlich bis zum äußersten handeln musst, um das gewünschte Ergebnis zu erzielen. Du kannst dich nicht länger zurücklehnen und abwarten. Veränderung ist unvermeidbar und was nicht mehr von Nutzen ist, muss abgeworfen werden. Alles muss geprüft und neu bewertet werden.

Lilith ist die erste der Schwarzen Göttinnen. Sie repräsentiert Tod und Wiedergeburt und ist daran interessiert, alles aus dem Weg zu räumen, was sich im Leben an Plunder angesammelt hat, um Raum für die Geburt des Neuen zu schaffen. Das reinigende Wasser im leidenschaftlichen Zeichen Skorpion sucht nach einer dir angemessenen Herausforderung.

Wenn du diese Karte gezogen hast, ist November ein günstiger Monat in bezug auf die gestellte Frage.

KALI

Schwarze Göttin – Schütze – Feuer

MOTTO

Wenn du kämpfst, musst du den Preis dafür bezahlen.

Kali, die „schwarze Mutter", die hinduistische Göttin der Natur, die alles verschlingende Gefährtin des großen Gottes Shiva, steht auf einem Bein. Ihr Gesicht ist ernst und ein Tropfen Blut hängt zwischen ihren dunklen Augenbrauen. Sie tanzt den ekstatischen Tanz des Sieges, der die Erde erbeben lässt. Sie hat vier Arme und hält in jeder Hand ein Symbol: Der Kelch in ihrer linken oberen Hand weist darauf hin, dass sie das Blut des Dämonen Raktavija getrunken hat. In der rechten unteren Hand hält sie ein Messer und in den beiden anderen Händen die abgetrennten Köpfe zweier Feinde. Ihr Kopfschmuck besteht aus Schlangen und weiteren abgetrennten Köpfen. Sie hat ein furchterregendes Wesen und ihre blaue Haut kontrastiert mit dem blutroten Himmel.

In dem Feld unter dem Bild sehen wir das Symbol des Feuerzeichens Schütze und die Mondscheibe der Schwarzen Göttin.

DER MYTHOS

Kali ist nur eine der vielen Erscheinungsformen von Shivas Gefährtin. Schreckliche Erscheinungsformen nahm sie an, um ihre Aufgabe – die Vernichtung von Dämonen, welche die Götter herausforderten – wahrnehmen zu können. Es ist dieselbe Göttin, die unter dem Namen Parvati als schöne junge Frau mit ihrem Ehemann zusammensitzt und über Liebe und erhabene metaphysische Themen spricht. Als schreckliche Kali kämpfte sie mit dem Anführer einer Dämonenarmee, Raktavija. Sie traf ihn viele Male mit ihren mächtigen Waffen, aber jeder Tropfen seines Blutes, der zur Erde fiel, brachte tausend neue Dämonen von seiner Sorte hervor. Um dies zu verhindern, war Kali gezwungen, jeden Tropfen seines Blut zu trinken, bis Raktavija vollständig besiegt war.

Nachdem sie Raktavija besiegt hatte, führte Kali einen so enthusiastischen Freudentanz auf, dass die ganze Erde bebte. Die anderen Götter baten Shiva, er solle sie veranlassen, damit aufzuhören, aber das Blut des Dämonen hatte sie so verrückt gemacht, dass sie Shiva zu Tode trampelte. Sie war außer sich, als sie das Ergebnis ihres Wahnsinns entdeckte.

Trotz ihrer schrecklichen Erscheinung wird Kali von sehr vielen Menschen verehrt, denn sie repräsentiert sowohl die kreative als auch die destruktive Energie. Der Kalikult ist Teil der tantrischen Praxis, in der es unter anderem auch darum geht, sexuelle Energie zu lenken.

DIE BEDEUTUNG DER KARTE

Diese Karte weist darauf hin, dass du ohne Rücksicht auf dein Gegenüber eine gnadenlose Strategie verfolgen musst, wenn du erfolgreich sein willst. Hier ist hemmungsloses Handeln gefragt und es geht darum, die eigenen Pläne rücksichtslos in die Tat umzusetzen. Es ist jedoch wichtig zu erkennen, dass etwas Wertvolles verloren geht, wenn du dich an der Niederlage deines Gegners weidest. Wie immer, wenn eine schwarze Göttin im Spiel ist, gibt es auch hier keine Lösung, die dich ungeschoren aus der Sache hervorgehen lässt. Wenn Kali in einer Lesung erscheint, heißt das nur allzu oft: „Es wird nichts Gutes daraus entstehen." Kali ist die Drastischste der schwarzen Göttinnen. Auch sie steht für Tod und Wiedergeburt und trachtet danach, alles zu zerstören, was eine Bedrohung für das Überleben zu sein scheint.

Die schonungslose und abenteuerliche Qualität des Elements Feuer im Schützen strebt nach höchster Wahrheit, wie oder wo sie auch zu finden sein mag.

Wenn du diese Karte gezogen hast, ist der Dezember ein günstiger Monat in bezug auf die gestellte Frage.

HEKATE

Schwarze Göttin – Steinbock – Erde

MOTTO

Lebe in der Gegenwart.

Die Göttin Hekate steht mit erhobenen Händen da. Die Münzen in ihren Händen symbolisieren ihre Fähigkeit, sowohl Reichtümer als auch Magie und Weisheit zu verleihen. Ihr Kopfschmuck besteht aus drei Mondphasen: zunehmender sichelförmiger Mond, Vollmond und abnehmender sichelförmiger Mond. Sie wird traditionell mit drei Gesichtern dargestellt, die archetypische Triade der Jungfrau, Mutter und weisen alten Frau. Der schwarze Mond hinter ihrem Rock symbolisiert die Nacht, über die sie als Königin herrschte, und die Höhlen der Unterwelt, in denen sie über beachtliche Autorität verfügte. Vor ihr stehen zwei Hunde aus dem großen Rudel, das sie begleitete, wohin auch immer sie reiste. Hekate war auch als „Hund des Mondes" bekannt und wurde mit dem Hundsstern Sirius in Verbindung gebracht.

In dem Feld unter dem Bild sehen wir das Symbol des Erdzeichens Steinbock und die Mondscheibe der Schwarzen Göttin.

DER MYTHOS

Obwohl sie eine Mondgöttin war, gehörte Hekate zu den wichtigsten Gottheiten der Unterwelt. Sie hatte sowohl im Himmel als auch auf der Erde Macht und wenn sie bei Laune war, verhalf sie den Menschen zu Reichtümern, Weisheit und Siegen. Die frühesten Quellen zufolge ist sie die Tochter der Nyx oder Alten Nacht, aber später erklärte man sie zur Tochter von Zeus und Hera.

Hekate stahl ihrer Mutter Hera einen Topf mit Rouge und schenkte ihn Europa, der Geliebten ihres Vaters Zeus. Vor dem Zorn ihrer Mutter floh sie auf die Erde in das Haus einer Frau, die gerade geboren hatte. Obwohl sie die Patronin der Hebammen war, soll sie durch diese Begegnung unrein geworden sein. Daraufhin nahm Cabiri sie mit in die Unterwelt und tauchte sie in den Fluß Acheron, um sie zu reinigen, und von da an blieb Hekate in der Unterwelt. Von dort aus reiste sie mit ihrem Rudel heiliger Hunde durch die Welt und begegnete Sterblichen vorzugsweise an Wegkreuzungen.

Weil sie abgelegene und dunkle Orte liebte, wurde sie an unwirtlichen Orten als „Ferne" und „Beschützerin der Reisenden" verehrt. Auf bildlichen Darstellungen erscheint sie normalerweise mit drei Gesichtern. Das soll bedeuten, dass sie um die Geheimnisse folgender Triaden weiß: Vergangenheit, Gegenwart und Zukunft; Geburt, Leben und Tod; Himmel, Erde und Unterwelt; Jungfrau, Ehefrau und Witwe.

DIE BEDEUTUNG DER KARTE

Hekate blickt in drei Richtungen gleichzeitig. Diese Karte weist darauf hin, dass dich etwas in der Vergangenheit hält und dass es dir schwer fällt, die Gegenwart voll zu genießen und dich positiv auf die Zukunft einzustimmen. Die Vergangenheit muss genau betrachtet, durchlebt und dann endgültig abgelegt werden, indem du dich mit einer symbolischen Reinigung von ihrem Einfluss befreist. Was immer du dann entdeckst, ist nur für dich, anderen bleibt es verborgen. Hekate sagt dir, dass du die Vergangenheit nicht ändern kannst, aber wenn du in der Gegenwart lebst und hier tust, was du tun kannst, wird für deine Zukunft gesorgt sein. Als schwarze Göttin des Todes und der Wiedergeburt fordert Hekate dich auf, deine Prioritäten neu zu setzen.

Die systematische Natur des Elements Erde im autoritären Zeichen Steinbock strebt danach, Ordnung zu schaffen, wo Verwirrung herrscht. Wenn du diese Karte gezogen hast, ist der Januar ein wichtiger Monat in bezug auf deine Frage.

FREYA

Schwarze Göttin – Wassermann – Luft

Motto

Du musst ein paar Frösche küssen, um deinen Prinzen zu finden.

Die schöne Gestalt der germanischen Göttin Freya kniet zwischen langen Gräsern. Ihr Haar ist von jungen Blättern durchflochten, die sich manchmal auf magische Weise in einen Federmantel verwandeln, mit dem die Göttin zwischen ihrem Reich im Himmel und dem auf der Erde hin- und herfliegt. Um den Hals trägt sie Brisingamen, die goldene und mit Edelsteinen besetzte Kette der Zwerge. Der Dolch an ihrer Hüfte weist sie als Kriegsgöttin ebenso aus wie als Göttin der Liebe.

In dem Feld unter dem Bild sehen wir das Symbol des Luftzeichens Wassermann und die Mondscheibe der Schwarzen Göttin.

DER MYTHOS

In der altnordischen Mythologie wird die Morgenröte mit der schönen Göttin Freya in Verbindung gebracht. Freya war die Göttin der Sexualität, der Fruchtbarkeit und des Wohlstands, aber auch des Krieges. Sie war die Tochter des Meeresgottes Njord, die jüngere Schwester des Gottes Frey und die Frau des Gottes Od oder Odin.

Freya lebte in Folkwang, einem prächtigen Palast. Jedes Mal, wenn sie mit Odin auf das Schlachtfeld ging, durfte sie die Hälfte der gefallenen Krieger mit sich nehmen. Die andere Hälfte der erschlagenen Helden gehörte Odin, der sie mit nach Walhalla nahm. Die von Freya Auserwählten wurden in ihren Palast aufgenommen. Als oberste Anführerin der Walküren schenkte Freya manchmal Odins Kriegern in Walhalla das Bier aus.

Freya besaß Brisingamen, eine sehr kostbare Halskette. In einer Höhle nahe ihres Palastes lebten vier Zwerge, die für ihre Metallarbeiten berühmt waren. Eines Tages besuchte Freya ihre Werkstatt und sah eine wunderschöne goldene, mit Edelsteinen besetzte Halskette. Die wollte sie kaufen. Die Zwerge lachten über ihr Angebot und sagten, sie könnte die Halskette haben, wenn sie mit jedem von ihnen eine Liebesnacht verbringe. Freya wollte die Kette unbedingt und stimmte zu. So ging die Kette in ihren Besitz über. Später wurde sie von Loki gestohlen. Als sich Freya bei Odin darüber beklagte, sagte er ihr, dass sie, um die Halskette zurückzugewinnen, einen Krieg zwischen zwei Königen anzetteln und aufrechterhalten müsse, indem sie die getöteten Helden am Ende eines jeden Tages wiedererweckte. Sie befolgte dies und gewann die Halskette zurück.

Freya soll einen magischen Federmantel besessen haben, mit dem sie zwischen den verschiedenen Welten hin- und herfliegen konnte. Ihr Streitwagen wurde von Katzen gezogen. Sie verfügte über Hexenkräfte und wenn sie nach Asgard kam, brachte sie den Göttern Zauberformeln bei und zeigte ihnen, wie man Zaubertränke braut.

DIE BEDEUTUNG DER KARTE

Ähnlich wie dieser Göttin, die bereit war, sich selbst zu verkaufen, um zu bekommen, was sie wollte, geht es dir, wenn du diese Karte gezogen hast. Sie kann auch bedeuten, dass du deine Ansprüche herunterschrauben musst, um das gewünschte Ergebnis zu erzielen. Für Freya war das Vergnügen, das sie aus den Objekten ihrer Begierde zog, weitaus größer als der Einsatz, den sie geben musste, um sie zu erlangen. Freya ist die letzte der schwarzen Göttinnen. Auch sie steht für Tod und Wiedergeburt und strebt danach, überholte Ideen zugunsten von innovativem Denken aufzugeben.

Die unorthodoxe Denkweise, die das Element Luft im exzentrischen Zeichen Wassermann auszeichnet, weist darauf hin, dass Erfindungsreichtum und Klugheit zum erwünschten Ziel führen. Wenn Sie diese Karte gezogen haben, ist der Februar ein wichtiger Monat für die gestellte Frage.

DIE MONDHÄUSER

„Der Lauf des Mondes, wie wir ihn beobachten können,
teilt den Tierkreis in achtundzwanzig Tage ein.
Daher kommt es, dass die Weisen Indiens
und die meisten Astrologen der Antike dem Mond
achtundzwanzig Häuser gegeben haben.
In diesen achtundzwanzig Häusern
liegen viele Geheimnisse verborgen, welche die Alten kannten
und durch die sie Wunder an allen Dingen gewirkt haben,
die dem Kreislauf des Mondes unterliegen.
Sie schrieben jedem Haus seine Ähnlichkeiten, Bilder und Siegel
und seine vorherrschende Intelligenz zu
und arbeiteten danach auf verschiedene Weisen.“

Francis Barrett: *The Magus or Celestial Intelligencer*

Haus eins

VULKAN

o Grad Widder bis 12.51 Grad Widder –
Herrscher: Mars und Sonne

E ine graue Figur kniet in der Haltung eines Läufers am Start auf einem Podium, das von primitivem Leben erfüllt ist. Der Kragen, den sie um den Hals trägt, kann sowohl auf Knechtschaft als auch auf Macht hinweisen. Flammen künden von der allmächtigen Gegenwart der Sonne, die von einem schwarzen Mond verfinstert wird. Im Hintergrund sieht man einen dunklen, brütenden Vulkan, dessen Flammen sich mit dem feurigen Haar der Figur vermischen. Der glühende Kreis, der von den Ästen eines Baumes gebildet wird, erinnert an den wiederkehrenden Vollmond.

ALMACH – DIE HÖRNER DES WIDDERS

Die Zeit, in welcher der Mond im ersten Haus steht, wurde traditionell als günstig für das Wirken von Liebes- oder Hasszaubern betrachtet. Sie symbolisiert in Konflikt stehende Kräfte und Wirbelwinde, die sich im täglichen Leben als Streitereien zum Ausdruck bringen.

DIE BEDEUTUNG DER KARTE

Der Neumond bewegt sich durch das Haus des Widders und berührt die Herrscher der ersten beiden Dekanate, Mars und Sonne. Diese zwei Planeten im ersten Zeichen sind äußerst kreativ und initiierend. Diese Karte drückt Verwegenheit, Inspiration und Spontanität aus, und weist auf das Bedürfnis hin, sofort zu handeln und Kraft freizusetzen, die nicht länger gezügelt werden kann. Sie steht für extremes Handeln und Ungeduld. Dieses Mondhaus ist heiß, feurig und voll von kreativem Schwung. Es stellt eine Zeit der Untätigkeit dar, in der Energie gesammelt wird, die später ausbricht wie die Lava aus einem Vulkan.

Menschen, die mit dem Mond in Haus eins geboren wurden:
Bill Gates, Antonio Banderas, Sarah Ferguson, Martina Navratilova

SCHLÜSSELBEGRIFF

Energie sammeln

Haus zwei

MUSIKANTIN

12.51 Grad Widder bis 25.43 Grad Widder –

Herrscher: Sonne und Jupiter

Eine junge Frau mit langem, fließendem Haar, das die Farbe der Sonne hat, hält eine Geige in der linken Hand. Ihr Körper ist mit einer Girlande aus rosa Blüten und grünen Blättern umwunden. Die gleichen Blüten schmücken ihr Haar. Sie läuft über einen sandigen Hügel und blickt über ihre Schulter zurück, wobei sie ein offenes Notenheft fallen lässt. Im Hintergrund fliegt ein Vogelschwarm im Sonnenlicht. Ihre Haut hat die blassgrüne Farbe junger Pflanzen. Sie symbolisiert das Streben zarter junger Sprossen nach der mächtigen und kreativen Wärme der Sonne.

ALBOTHAIM – DER BAUCH DES WIDDERS

Der Überlieferung nach wurde die Zeit, in welcher der Mond im zweiten Haus steht, als günstig für das Herstellen von Pentakeln betrachtet, die man zum Auffinden von Quellen und Schätzen brauchte.

DIE BEDEUTUNG DER KARTE

Die Sonne verbindet sich mit Jupiter in den letzten beiden Dekanaten des Widders. Diese Karte weist darauf hin, dass sich eine Gelegenheit bietet, die einfach ergriffen werden will, und drückt die Fähigkeit aus, andere zu inspirieren und zu überzeugen – egal, welchen Wunsch du hast und um welches Projekt es sich handelt. Sie weist auf eine Erweiterung der Kreativität und auf Leichtigkeit im Ausdruck hin. Wenn du diese Karte ziehst, verfügst du über alle Fertigkeiten, die nötig sind, um die in Frage stehende Angelegenheit spielend zu bewältigen.

Menschen, die mit dem Mond in Haus zwei geboren wurden:
Luciano Pavarotti, Whitney Houston, Claude Renoir, Marlon Brando

SCHLÜSSELBEGRIFF

Günstige Gelegenheit, kreativer Höhepunkt

Haus drei
PALAST
25.43 Grad Widder bis 8.34 Grad Stier –
Herrscher: Jupiter und Venus

Das Gesicht einer rot-haarigen Frau starrt den Betrachter unver-wandt und wie in Trance an. Die Frau trägt einen seltsamen Kopfschmuck: eine orangerote Perücke, die rechts und links des Kopfes mit einer purpur-farbenen Litze zusammen-gebunden ist. Die Perücke ist von einem kleinen, el-fenbeinfarbenen Palast ge-krönt, der völlig symmetrisch angelegt ist. Auf den Palastmauern, rechts und links des Gebäudes wachsen zwei Bäume, von denen jeweils eine einzelne rote Frucht herabhängt. Hinter diesem gewaltigen Kopfschmuck ist die riesige Scheibe des Schwarzmondes zu sehen. Auf jeder Schulter hängt eine Dolde grüner Trauben.

ASCORIJA – DAS ÜBERFLIEßEN
Der Überlieferung nach wurde die Zeit, in welcher der Mond im dritten Haus steht, als günstig für Seereisen und das Wirken alchi-mistischer Zauber angesehen.

DIE BEDEUTUNG DER KARTE
Der expansive Planet Jupi-ter ermutigt die vergnü-gungsliebende Venus. Das erzeugt einen gewaltigen Hang, sich den guten Din-gen des Lebens und hedo-nistischen Freuden hinzu-geben. Dieses Mondhaus reicht bis in das sinnliche Erdzeichen Stier hinein, wo der Planet Venus vom expansiven Planeten Jupiter ins Extrem ge-trieben wird. Wer diese Karte zieht, neigt zu Übertreibungen und übermäßiger Genuss-sucht und hat das Bedürfnis, dies auch zu zei-gen. Diese Karte deutet auch auf unbedachte Extravaganz hin, auf übermäßige, effektha-schende Großzügigkeit und auf den Wunsch, Eindruck zu machen.

Menschen, die mit dem Mond in Haus drei gebo-ren wurden:
Barbara Cartland, Jackie Onassis, Prinz Charles, Scott Fitzgerald

SCHLÜSSELBEGRIFF
Demonstrativer Genuss, Angeberei

Haus vier
STEIN

8.34 Grad Stier bis 21.26 Grad Stier –
Herrscher: Merkur und Saturn

Vier Stufen führen zu einem großen, sehr stabilen, aber schlicht aussehenden Gebäude mit zwei kleinen Anbauten zu beiden Seiten. Darüber ragt eine riesige Steintafel auf. Der blass gefärbte Stein ist mit seltsamen Symbolen bedeckt, die wohlgehütete Familiengeheimnisse und alte Überlieferungen darstellen. Eine gekrönte Frauengestalt mit langen blonden Haaren beugt sich von oben über die Tafel. Hinter ihr sieht man ein aufgerolltes Stück Papier, das mit weiteren Zeichen beschrieben ist. Die Arme der Frau hängen zu beiden Seiten der Tafel nach unten, als ob sie den Stein umarmen wollten.

ALDEBARAN – DAS AUGE ODER DER KOPF DES STIERS

Wenn der Mond in diesem Haus stand, hatte man der Überlieferung nach mit der Zerstörung von Gebäuden und mit Zwietracht in der Familie zu rechnen.

DIE BEDEUTUNG DER KARTE

Merkur mit Saturn im Stier weisen auf eine bedenkliche Einstellung gegenüber Besitz hin. Saturn steht traditionell für Vorfahren und Ursprungsfamilie sowie für die Sicherheit des Erbes. Dieses Mondhaus ist materiell orientiert und sehr besitzergreifend. Wenn du diese Karte gezogen hast, deutet das darauf hin, dass du eine starrköpfige, beschützende Einstellung gegenüber dem hast, was du für dein persönliches Eigentum hältst. Das kann ein Familienunternehmen sein oder einfach eine starke Familientradition. Hier bist du unflexibel und altmodisch. Die Art, wie du die Dinge schon immer gemacht hast, hältst du für die einzig wahre.

Menschen, die mit dem Mond in Haus vier geboren wurden:
Bill Clinton, Germaine Greer, Elton John, Karl Marx

SCHLÜSSELBEGRIFF
Festhalten am Vertrauten

Haus fünf

RAD

21.26 Grad Stier bis 4.17 Grad Zwillinge –
Herrscher: Saturn und Merkur

Zwei beinahe identische, braun gekleidete Gestalten stehen einander gegenüber. Jede streckt eine Hand aus, aber sie berühren sich nicht. Hinter ihnen ist der Mond als Rad dargestellt. Die Speichen des Rades sind Köpfe mit Helmen, die sich gegen den Uhrzeigersinn drehen.

ALUXER – DER KÖRPER DES STIERS

Die Zeit, in welcher der Mond in diesem Haus steht, galt traditionell als günstig, um Studenten zu unterrichten und Talente und Begabungen zu fördern.

DIE BEDEUTUNG DER KARTE

Im fünften Mondhaus verbindet sich der ernsthafte, auf Sicherheit bedachte Saturn mit Merkur, dem Planeten der Kommunikation, im leicht erregbaren und scharf denkenden Zeichen der Zwillinge. Unter dem Einfluss des leichtfüßigen Merkur ist Saturn weniger streng als gewöhnlich, während er gleichzeitig die Ausdauer des Merkur verstärkt. Wenn du diese Karte ziehst, bist du in der Lage, gute Kontakte herzustellen und mit anderen zusammenzuarbeiten, um die Räder einer Sache am Laufen zu halten. Es ist wichtig für den Erfolg deiner Unternehmungen, dass du dich in den richtigen gesellschaftlichen Kreisen bewegst und nützliche Kontakte knüpfst. Ein Rad weist oft auf die Erlaubnis oder das Wohlwollen einer Person hin, die eine Machtstellung innehat. Bei dieser Karte geht es im wesentlichen darum, wen du kennst und wie sehr diese Menschen dich mögen.

Menschen, die mit dem Mond in Haus fünf geboren wurden:
Bob Dylan, Peter Sellers, Katheryn Hepburn, Edith Piaf

SCHLÜSSELBEGRIFF

Gute Kontakte

Haus sechs

BRÜCKE

4.17 Grad Zwillinge bis 17.08 Grad Zwillinge –
Herrscher: Merkur und Venus

Zwei unbekleidete Figuren, eine mit kurzem, die andere mit langem Haar, blicken in entgegengesetzte Richtungen. Sie strengen sich beträchtlich an, um eine Brücke zu bilden und miteinander in Kontakt zu kommen. Beide beugen einen Arm nach hinten über den Kopf, um sich mit den Händen zu berühren und winkeln ein Bein an, um mit den Fußsohlen Kontakt aufzunehmen. In dem großen roten Topf, der zwischen den beiden Figuren steht, wächst eine Pflanze: ein Lotos, der Blüten und Früchte trägt. Hinter den Figuren leuchtet eine wasserblaue Mondscheibe.

ATHAIA – DER KLEINE STERN MIT DEM STARKEN LICHT

Nach arabischer Überlieferung soll der Mond, wenn er in diesem Haus steht, die Genesung nach einer Krankheit verlangsamen. Für Prinzen und Eroberer galt dies als gute Zeit, um eine Stadt zu belagern oder Rache zu nehmen.

DIE BEDEUTUNG DER KARTE

Merkur und Venus unterscheiden sich stark in ihrem Drang zum Selbstausdruck. Sie stellen entgegengesetzte Ansichten dar: Merkur ist oberflächlich, schnell und vielseitig, Venus ist langsam und besitzergreifend. Beide verfügen jedoch über die Fähigkeit, gut mit Menschen umzugehen. In diesem Haus, das von Merkur und Venus beherrscht wird, geht es um unterschiedliche Ansichten oder Ideen. Die Berührung der beiden Figuren stellt die Fähigkeit dar, Gemeinsamkeiten zu entdecken und zu einem Kompromiss zu gelangen. Dies ist eine friedenstiftende Karte. Sie weist auf den harmonischen Ausgang einer Sache hin, die von starken Gegensätzen gekennzeichnet war.

Menschen, die mit dem Mond in Haus sechs geboren wurden:
Brigitte Bardot, Billy Connelly, Noel Coward, Tina Turner

SCHLÜSSELBEGRIFFE

Kompromisse, plötzliches Entdecken von Gemeinsamkeiten

Haus sieben

BESUCHERIN

17.08 Grad Zwillinge bis 0 Grad Krebs –
Herrscher: Venus und Uranus

Eine sitzende Gestalt in einem gelben Kleid schaut nachdenklich nach links aus dem Bild. Die rechts sitzende grüne Gestalt dreht sich zu ihr und berührt ihren linken Arm in einer freundschaftlichen Geste. Beide Figuren tragen mit Symbolen verzierte Kleider. Im Hintergrund sind schwarze Hügel zu sehen, über denen der Vollmond steht.

ALDYARAS – DER ARM DER ZWILLINGE

Traditionell war die Zeit mit dem Mond im siebten Haus günstig, um Liebesbande zu knüpfen und Freundschaften zu schließen. Es war ebenfalls eine glückbringende Zeit, um Pentakel herzustellen und Zaubersprüche zu wirken, mit deren Hilfe man die Gunst der Mächtigen zu gewinnen versuchte.

DIE BEDEUTUNG DER KARTE

Die vergnügungsliebende Venus deutet auf Wohlergehen und Sicherheit in Beziehungen hin, während der beunruhigende Uranus plötzliche und unerwartete Ereignisse ankündigt, die uns aus unseren gewohnten Bahnen werfen. Wenn diese beiden Planeten zusammenkommen, gibt es Überraschungen, besonders im Bereich der zwischenmenschlichen Beziehungen. Diese Karte weist auf neue oder unerwartete soziale Kontakte hin oder auf eine Beziehung, die Einfluss auf die in Frage stehende Angelegenheit hat. Eine Hand wird in Freundschaft ausgestreckt, und zwar aus einer höchst unwahrscheinlichen Richtung. Diese Karte kann auch bedeuten, dass du dich zu einer Person hingezogen fühlst, mit der du normalerweise nichts zu tun haben wolltest.

Menschen, die mit dem Mond in Haus sieben geboren wurden:
Shirley Temple Black, Kirk Douglas, Goldie Hawn, Claudia Schiffer

SCHLÜSSELBEGRIFF

Unerwartete Beziehung

Haus acht

RITTER

o Grad Krebs bis 12.51 Grad Krebs –
Herrscher: Mond und Pluto

Eine schöne Frau mit langen blonden Haaren schaut frontal aus dem Bild und drückt ein blondes Kind an ihre Brust. Sie trägt einen Helm und einen grünen Umhang und hält einen Dolch in der linken Hand. Ihr rotes Kleid repräsentiert Leben und Vitalität. Hinter ihr ist eine dunkle, blutrote Mondscheibe zu sehen.

AMATHURA – NEBLIG ODER BEWÖLKT

Mit dem Mond im achten Haus war traditionell die Zeit für die Familie gekommen, die Zeit, in der jeder seine Liebe zu Kindern zeigte, sogar zu fremden Kindern. Es war aber auch eine gute Zeit, um Zaubersprüche zu wirken, die jemanden in Gefangenschaft hielten.

DIE BEDEUTUNG DER KARTE

Der Planet Pluto steht für Wandlung und ungeheure Kraft, während sich die freundliche und mitfühlende Natur des Mondes nährend und beschützend auswirkt. Wenn sich diese beiden Planeten im Wasserzeichen Krebs verbinden, stellen sie die gewaltige Beschützerkraft einer Tiermutter dar, die ihre Jungen bewacht. Die ungeheure Kraft des Pluto gibt dem sanften, emotionalen Mond Stärke. Und diesem fällt es leicht, sich im Krebs auszudrücken, da dies sein eigenes Zeichen ist. Diese Karte steht für die Bereitschaft, nötigenfalls zu den Waffen zu greifen, um jemanden zu verteidigen, der weniger fähig ist, für sich selbst zu sorgen. Wenn du diese Karte ziehst, kümmerst du dich um Menschen und Ideale, die dir am Herzen liegen.

Menschen, die mit dem Mond in Haus acht geboren wurden:
Janis Joplin, Camilla Parker Bowles, Eric Satie, Tom Waites

SCHLÜSSELBEGRIFF

Instinktives Beschützen

Haus neun

KRUG

12.51 Grad Krebs bis 25.43 Grad Krebs –
Herrscher: Pluto und Neptun

Der reich geschmückte Krug hat die Form eines Frauenkopfes. Die Flechten ihres graublauen Haares wandeln sich in blasse Wasserläufe, die zu beiden Seiten des Kruges in kleineren Gefäßen aufgefangen werden. Diese Gefäße werden von zwei traurig dreinblickenden, sitzenden Gestalten gehalten, die einander den Rücken zuwenden.

ATARS – DAS AUGE DES LÖWEN
Wenn der Mond in diesem Haus steht, sollte man sich nach chinesischer Überlieferung nicht auf Reisen begeben. Die Araber nannten dieses Haus Al Tarf, der Blick. Sie glaubten, dass Menschen, die mit dem Mond in diesem Haus geboren werden, ein besonders gütiges und freundliches Wesen haben.

DIE BEDEUTUNG DER KARTE
Die Verbindung des mächtigen Pluto mit dem vergeistigten Neptun in diesem Haus deutet auf ungeheure Vorstellungskraft und Sensibilität, gepaart mit dem idealistischen Wunsch nach Verbreitung der eigenen Überzeugungen und Träume hin. Dieses Haus steht für Mitgefühl und die Bereitschaft, Menschen in Not zu unterstützen. Wenn du diese Karte gezogen hast, bist du fähig, die Bedürfnisse der Menschen um dich zu erspüren, und in der Lage, sie auf liebevolle und mitfühlende Weise zu befriedigen. Diese Karte weist auf die Fähigkeit hin, sich in die Umstände und Gefühle anderer hineinzuversetzen und aktiv etwas Hilfreiches beizutragen.

Menschen, die mit dem Mond in Haus neun geboren wurden:
Georgio Armani, Aretha Franklin, Erica Jong, Paul Simon

SCHLÜSSELBEGRIFF

Anderen helfen

Haus zehn

QUELLE

25.43 Grad Krebs bis 8.34 Grad Löwe –
Herrscher: Neptun und Sonne

Eine schöne weibliche Heldengestalt mit rotbraunem lockigem Haar taucht aus einem Gefäß auf, aus dem sich eine kühle, sprudelnde Quelle ergießt, in deren blassblauem Wasser die Figur gebadet wird. Sie trägt einen geflügelten Helm, der die Kraft der Vorstellung symbolisiert, die Fähigkeit, sich über sich selbst hinaus in ungeahnte Höhnen zu erheben. Die Frau blickt ruhig und selbstbewusst auf den Betrachter. Ihr Kopf und ihre Schultern sind von einem blassen Vollmond eingerahmt, der an die Sonne erinnert.

ALGELBA – DER HALS ODER DIE STIRN DES LÖWEN

Früher nahm man an, dass der Mond, wenn er in diesem Haus steht, für die Stabilität von Gebäuden sorgt, Liebe und Güte fördert und Feinde besiegen hilft. Die Araber betrachteten dieses Haus als günstig für berufliche Angelegenheiten und für die Liebe.

DIE BEDEUTUNG DER KARTE

Die Sonne repräsentiert dynamische Kreativität, während der Planet Neptun für die Erweiterung der Vorstellungskraft und für visionäre Fähigkeiten steht. Diese Karte bedeutet, die Anerkennung deiner eigenen Kreativität durch dich selbst und andere und weist auf ein plötzliches Aufwallen deiner Vorstellungskraft hin. Wenn du diese Karte ziehst, musst du die Verantwortung für deine Talente übernehmen und sie zu deinem eigenen Wohl und zum Wohl anderer einsetzen. Diese Karte ermahnt dich, an deine eigenen Fähigkeiten und an ihren Wert für andere Menschen zu glauben.

Menschen, die mit dem Mond in Haus zehn geboren wurden:
Christian Dior, Jimi Hendrix, Clint Eastwood, Nancy Reagan

SCHLÜSSELBEGRIFF

Kraftvolle Vorstellung

Haus elf

FORTUNA

8.34 Grad Löwe bis 21.26 Grad Löwe –
Herrscher: Sonne und Jupiter

Eine junge Frau sitzt unter einem kleinen belaubten Baum. Sie trägt ein blaues Kleid mit Blumenmuster und streckt die Hand aus, um eine goldene Münze aus dem Schnabel einer vor ihr schwebenden Singdrossel zu empfangen. Weitere Goldmünzen fallen vor ihr zu Boden. Ein blasser roter Mond glüht an einem gelben Himmel.

AZOBRE – DIE MÄHNE DES LÖWEN
Die Zeit, in welcher der Mond in diesem Haus steht, wurde traditionell als gut betrachtet, um Reisen zu unternehmen und Zaubersprüche zur Befreiung Gefangener zu wirken. Von Menschen, die unter diesem Einfluss geboren wurden, glaubte man, dass sie eine idealistische Einstellung oder einen sehr guten Geschmack entwickeln würden.

DIE BEDEUTUNG DER KARTE
Sonne und Jupiter in harmonischer Vereinigung weisen auf ein äußerst günstiges Schicksal hin. Die Goldmünzen stellen die Sonne dar, die Singdrossel hat die traditionelle Farbe des Jupiter. Die Münzen sind ein Symbol für Glück im Allgemeinen und bedeuten nicht unbedingt finanziellen Gewinn. Der Planet Jupiter bereichert das Leben ganz allgemein, während die Sonne für kreative Fähigkeiten steht. Da sich die Sonne in ihrem eigenen Zeichen Löwe befindet, ist dies das Haus der großen Möglichkeiten. Wer diese Karte zieht, kann das Glück haben, in eine wohlhabende Familie geboren worden zu sein und bedeutende Geldsummen zu erben oder er oder sie verfügt über bestimmte natürliche Talente beziehungsweise wird mit jemandem in Kontakt treten, der darüber verfügt.

Menschen, die mit dem Mond in Haus elf geboren wurden:
Königin Elizabeth II, Paul McCartney, Caroline Smith, Oscar Wilde

SCHLÜSSELBEGRIFF

Außergewöhnliches Glück

Haus zwölf
DER STURZ

21.26 Grad Löwe bis 4.17 Grad Jungfrau – Herrscher: Mars und Merkur

Eine junge Frau bewegt sich nach vorn, ohne darauf zu achten, wohin sie tritt. Sie nähert sich dem Ende einer Mole und ist kurz davor, ins Wasser zu fallen. Im Hintergrund sieht man zwei Figuren, die winken und ihr Warnungen zurufen. Ein roter Mond steht vor einem dunklen Himmel und in der Ferne liegt ein schwarzer Hügel.

ALZARFA – DER SCHWANZ DES LÖWEN

Die Zeit mit dem Mond in diesem Haus galt der Überlieferung nach als günstig für Menschen, die bei anderen angestellt waren und für Lohn arbeiteten. Es war auch eine günstige Zeit, um Zaubersprüche zu wirken, die das Los von Gefangenen verbessern sollten.

DIE BEDEUTUNG DER KARTE

Merkur ist schnell und scharfsinnig, während Mars impulsiv und energetisch ist. Die Kombination aus beiden kann spontane Brillanz oder rücksichtsloses Verhalten erzeugen. Die perfektionistische Jungfrau kann hemmend wirken und den Drang erzeugen, die eigenen Handlungen oder Entscheidungen zu überdenken. Wenn du diese Karte ziehst, bist du im Konflikt zwischen dem Wunsch nach Verwegenheit und dem Bedürfnis nach Vorsicht. Es kann sein, dass dir, kurz bevor oder direkt nachdem du impulsiv gehandelt hast, Zweifel kommen. Vielleicht musst du eine Idee noch einmal überdenken und wieder zum Entwurf zurückkehren. Diese Karte zeigt, dass eine falsche Entscheidung getroffen wurde, dass aber noch genügend Zeit ist, um den Fehler zu korrigieren.

Menschen, die mit dem Mond in Haus zwölf geboren wurden:
Margeret Thatcher, L. Ron Hubbard, Richard Branson, Jane Fonda

SCHLÜSSELBEGRIFF

Bedürfnis nach Neubeginn

Haus dreizehn

ALTAR

4.17 Grad Jungfrau bis 17.08 Grad Jungfrau –
Herrscher: Merkur und Saturn

Eine ernst blickende Frau, deren Haar zu einer Wolke aufgetürmt ist, hebt die Hände in einer Geste der Verzweiflung. Auf dem magischen Altar vor ihr liegen vier Objekte, welche die vier Elemente Feuer, Erde, Luft und Wasser repräsentieren. An den Handgelenken der Frau und hinter ihr sind kleine rosafarbene Wolken zu erkennen.

ALALMA – DIE HUNDSSTERNE; DIE FLÜGEL DER JUNGFRAU

Wenn sich der Mond in diesem Haus befand, deutete dies der Überlieferung nach auf Schlauheit im Umgang mit Geld. Menschen, die mit dem Mond in diesem Haus geboren wurden, sagte man besondere finanzielle Fähigkeiten nach.

DIE BEDEUTUNG DER KARTE

Im ordentlichen und genauen Zeichen der Jungfrau deutet die Konjunktion von Merkur und Saturn auf konventionelle Ansichten hin. Sie besagt, dass der gegenwärtige Zustand um jeden Preis erhalten werden muss. Saturn weist in dieser Position auf Bedenken gegenüber den Meinungen anderer hin. Dieser alte ehrbare Planet gibt dem positiven Denken Merkurs eine ernste und pessimistische Neigung. Der Altar stellt eine Denkweise dar, die zum gewohnten Ritual geworden ist. Obwohl die Atmosphäre dieses Hauses negativ ist, deuten die kleinen rosafarbenen Wolken an, dass die gegenwärtig düstere Situation positives Potential enthält – du hast es bis jetzt nur noch nicht bemerkt. Die Karte weist auch darauf hin, dass du dich gezwungen siehst, so zu handeln, wie andere es von dir erwarten.

Menschen, die mit dem Mond in Haus dreizehn geboren wurden:
Prinzessin Anne, Madonna, Michelle Pfeiffer, John Travolta

SCHLÜSSELBEGRIFF

Die Erwartungen anderer erfüllen

Haus vierzehn
ZEPTER
17.08 Grad Jungfrau bis 0 Grad Waage –
Herrscher: Saturn und Venus

Eine klassische Gestalt steht auf einer abgeflachten Pyramide, in deren Innern zwei Türme zu sehen sind. Auf jeder Seite der Pyramide wächst ein Baum. Die Gestalt hält eine Kristallkugel in einer Hand und ein Zepter in der anderen, Symbole für Autorität und okkulte Macht. Hinter ihr leuchtet der Vollmond.

AZIMEL – DIE SPITZE DER JUNGFRAU
Die Zeit, in welcher der Mond in diesem Haus steht, wurde traditionell als günstig für jede Art der Divination und des Hellsehens betrachtet. Wenn dieses Haus im Geburtshoroskop eines Menschen entdeckt wurde, glaubte man, dass es die Klugheit und die analytischen Fähigkeiten dieser Person verstärke.

DIE BEDEUTUNG DER KARTE
Die Kombination von Saturn und Venus in diesem Haus sorgt für ausgeprägte Ambitionen und erzeugt den Wunsch, eine verantwortungsvolle Position im Leben zu erreichen. Sowohl Venus als auch Saturn sind besitzergreifende Planeten und gemeinsam üblicherweise für materiellen Gewinn und Errungenschaften zuständig. Wenn sie in diesem Haus im Zeichen Jungfrau vereint sind, weisen sie auch auf Perfektionismus hin. Wenn du diese Karte ziehst, hast du den Wunsch, dich über deinen Platz im Leben hinaus zu erheben. Du sehnst dich nach Anerkennung und Respekt im traditionellen Sinne und möchtest als Säule der Gesellschaft anerkannt werden. Diese Karte erinnert dich daran, dass im allgemeinen ein beachtlicher Aufwand erforderlich ist, um eine solche Position zu erreichen,

Menschen, die mit dem Mond in Haus vierzehn geboren wurden:
Vanessa Redgrave, John F. Kennedy, Jack Nicholson

SCHLÜSSELBEGRIFF
Wunsch nach einer besonderen Position

Haus fünfzehn

BUKETT

0 Grad Waage bis 12.51 Grad Waage –
Herrscher: Venus und Uranus

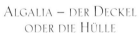

Zwei Liebende sitzen in enger Umarmung auf einem Hocker. Das Mädchen trägt eine Rose im Haar. Am rechten Bildrand wächst ein Rosenbusch mit dunkelroten Blüten, links fallen weitere Rosenblüten vom Himmel. Der Himmel ist blassgrün, die Farbe der ersten Sprossen im Frühling. Hinter dem Paar leuchtet ein orangefarbener Vollmond.

ALGALIA – DER DECKEL ODER DIE HÜLLE

Der Überlieferung nach wurde der Mond in diesem Haus als ungünstig für familiäre oder andere Beziehungen betrachtet. Man glaubte jedoch, dass er die Aussichten auf Erfolg bei der Entdeckung von Schätzen erhöhte und diese Zeit wurde als vorteilhaft für das Wirken von Zaubersprüchen zu diesem Zweck angesehen.

DIE BEDEUTUNG DER KARTE

Die harmonische Waage ist das Zeichen der Beziehungen und Venus in Kombination mit dem oftmals erschütternden Planeten Uranus deutet auf eine unerwartete oder unerlaubte Liebesaffäre oder Beziehung hin. Dies ist eine Karte der Liebe, ganz gleich, ob du damit gerechnet hast oder nicht. Wenn du diese Karte ziehst, erfährst du oder jemand anderes, der von Bedeutung für die Angelegenheit ist, ein plötzliches, überwältigendes Gefühl von Liebe. Diese Karte kann auf eine überraschende, aber letztlich lang andauernde Beziehung sowie auf eine kurze Liaison oder bereute Liebesaffäre hinweisen. Sie deutet eine Situation, die dich aus deinem emotionalen Trott herausholt und unerwartete Aufregung und sogar Leidenschaft in dein Leben bringt, weil eine neue Person auf den Plan getreten ist.

Menschen, die mit dem Mond in Haus fünfzehn geboren wurden:
Agatha Christie, Walt Disney, Toulouse Lautrec, Billie Jean King

SCHLÜSSELBEGRIFFE

Unerwartete Liebesaffäre oder Beziehung

Haus sechzehn
TÜR
12.51 Grad Waage bis 25.43 Grad Waage –
Herrscher: Uranus und Merkur

Eine Frau steht in einem Zimmer vor einem offenen Durchgang. Links im Bild steht eine sehr hohe Pflanze mit roten Blüten in einem verzierten Topf. Draußen erkennt man eine Treppe, die zu einem Palast führt. Im Hintergrund liegen dunkle Hügel. Kleine Wolken ziehen an einem gelben Mond vorbei.

ALCIBENE – DIE KRALLEN DES SKORPIONS
Der Mond in diesem Haus wurde der Überlieferung nach als ungünstig für die Ehe angesehen und als Verursacher von Streitereien in der Familie. Die Kabbalisten nannten dieses Haus Aiah oder Rettung und glaubten, dass es den freien Willen stärkt.

DIE BEDEUTUNG DER KARTE
Uranus regt Merkur mit neuen Gedankengängen an, wobei er unorthodoxe Denkweisen unterstützt oder eine Gedankenflut verursacht. Diese Karte kann auf die Einführung einer brillanten neuen Idee hinweisen, die dich und andere überrascht und dich aus deinen vertrauten Denkmustern reißt. Die Pflanze auf der Karte symbolisiert Zeit, die damit zugebracht wurde, lange auf die gleiche Weise zu leben. Die offene Tür führt zu neuen Möglichkeiten. Wenn du diese Karte ziehst, musst du eine Entscheidung treffen zwischen dem Festhalten an der Sicherheit des Wohlbekannten und der erprobten Routine und dem Ausprobieren von etwas Neuem, das ein ungeheures Potential zu bergen scheint, dessen Ausgang jedoch ungewiss ist. Du musst durch die weit geöffnete Tür treten, wenn dein Leben weitergehen soll.

Menschen, die mit dem Mond in Haus sechzehn geboren wurden:
Wallis Simpson, Jeanne d'Arc, Marie Antoinette, Jane Austen

SCHLÜSSELBEGRIFFE
Eine plötzliche Entscheidung, neue Möglichkeiten

Haus siebzehn
SCHWERT
25.43 Grad Waage bis 8.34 Grad Skorpion –
Herrscher: Merkur und Pluto

Zu beiden Seiten einer aufrecht stehenden weiblichen Figur steht ein auf der Spitze balancierendes Schwert. An den Griffen dieser Schwerter befinden sich sichelförmige Monde und um die Spitzen der Klingen winden sich grüne Schlangen, deren Zungen mit den Armen der Figur verbunden sind. Die Figur trägt einen bogenförmigen Helm. Über ihrer linken Schulter befindet sich eine Feder, über der rechten ein Herz.

ARCHIL – DIE KRONE DES SKORPIONS
Der Mond in diesem Haus sollte der Überlieferung nach ein ungünstiges Schicksal zum Besseren wenden, die Liebe dauerhaft und Gebäude stabil machen. Die Chinesen nannten es „Drachenschwanz" und glaubten, dass Menschen mit diesem Haus im Geburtshoroskop ihr ganzes Leben lang vor übler Nachrede auf der Hut sein mussten.

DIE BEDEUTUNG DER KARTE
Der mächtige Pluto stachelt in seinem eigenen Zeichen Skorpion den unbeschwerten Merkur zu äußerster mentaler Aktion an. Dieses Haus weist auf das überwältigende Bedürfnis hin, sich für eine Sache einzusetzen. Hier wird nach Gerechtigkeit verlangt. Der mächtige Einfluss des Pluto deutet auf Rache für vergangenes Unrecht hin. Wenn du diese Karte gezogen hast, nimmst du etwas als ungerecht wahr und willst die Dinge in Ordnung bringen. Die Zungen der Schlangen, wie sie auf dieser Karte dargestellt sind, stehen für erregte Diskussionen. Das heißt, es wird einen hitzigen Streit um die fragliche Angelegenheit geben.

Menschen, die mit dem Mond in Haus siebzehn geboren wurden:
James Dean, Steven Spielberg, Raquel Welch, Liv Ullman

SCHLÜSSELBEGRIFFE
Rachegedanken, ein Gerichtsverfahren

Haus achtzehn

OPFER

8.34 Grad Skorpion bis 21.26 Grad Skorpion –
Herrscher: Pluto und Neptun

Eine unbekleidete Frau sitzt auf einem blaugemusterten Kissen. Sie hat die Hand in einer Geste der Müdigkeit zur Stirn erhoben und blickt starr in den Himmel. Hinter ihr steht ein unbelaubter Baum, dessen Äste eine Silhouette vor dem roten Himmel bilden, an dem die riesige Scheibe des schwarzen Mondes zu sehen ist. Eine rote Rose fällt aus der linken Hand der Frau zu Boden.

ALCHALB – DAS HERZ DES SKORPIONS

Der Überlieferung nach verursachte der Mond in diesem Haus Unstimmigkeiten, Aufruhr und Verschwörungen gegen Prinzen und andere wichtige Personen und kündigte die Rache ihrer Feinde an. Nach Ansicht der Chinesen zog keine Unternehmung, die in dieser Zeit begonnen wurde, die erwarteten Belohnungen nach sich.

DIE BEDEUTUNG DER KARTE

Die Leidenschaft des Pluto und das Mitgefühl des Neptun bringen die hohe Qualität des selbstlosen Handelns zum Ausdruck. Dieses Haus weist auf intensive Hingabe an eine bestimmte Sache hin. Die Nacktheit der Frau auf dem Bild symbolisiert Ehrlichkeit und totalen Verlust. Die Blume ist das Letzte, was sie hergeben kann. Sie steht für Liebe. Wenn du diese Karte ziehst, bist du bereit, im Namen einer Sache oder für eine bestimmte Person alles aufzugeben. Integrität bedeutet dir in bezug auf diese Angelegenheit alles und nichts kann dich dazu bringen, deine Meinung zu ändern.

Menschen, die mit dem Mond in Haus achtzehn geboren wurden:
Elizabeth Taylor, Whoopi Goldberg, Bette Midler, Charlie Chaplin

SCHLÜSSELBEGRIFFE

Opfer oder emotionale Extreme

Haus neunzehn

ZWEI WEGE

21.26 Grad Skorpion bis 4.17 Grad Schütze –
Herrscher: Mond und Jupiter

Eine Reiterin mit langen roten Haaren sitzt auf einem unruhigen Pferd. Sie trägt ein langes blaues Kleid mit auffallendem Zickzackmuster und ist kurz davor, zu einer Reise aufzubrechen. Zwei Wege liegen unter den Hufen des Pferdes und verlieren sich in der Ferne. Schwarze Hügel ragen vor einem rosafarbenen Himmel auf und ein riesiger gelber Vollmond beleuchtet das Pferd und seine Reiterin.

AXALA – DER SCHWANZ DES SKORPIONS

Traditionell wurde der Mond in diesem Haus als günstig für das Belagern von Städten und die Vertreibung von Menschen aus ihren Häusern angesehen. Die Araber glaubten, dass Menschen, die mit dem Mond in diesem Haus geboren wurden, Erfolg bei der Jagd und beim Entwickeln eigener Ideen hätten, aber auch Schwierigkeiten bei kommerziellen Unternehmungen und beim Aufbau eines festen Wohnsitzes.

DIE BEDEUTUNG DER KARTE

Der Mond und Jupiter, zwei der abenteuerlustigsten Zeichen, vereint am Ende des Skorpions und am Anfang des Schützen, deuten auf große Reisen hin, die entweder im Geist oder real unternommen werden. Dieses Mondhaus weist auf die emotionale Erregung hin, die dem Beginn einer geistigen oder körperlichen Reise vorausgeht. Wenn du diese Karte ziehst, müssen wichtige Entscheidungen getroffen werden. Du musst dich einer von zwei möglichen Alternativen verpflichten. Obwohl beide Wege in die gleiche Richtung zu führen scheinen, kannst du dir dessen nicht völlig sicher sein. Du kannst nur mutig genug sein, die Reise anzutreten.

Menschen, die mit dem Mond in Haus neunzehn geboren wurden:
Kevin Costner, Prinz Andrew, John Astrop, Margot Fonteyn

SCHLÜSSELBEGRIFFE

Beginn einer Reise, emotionale Erregung

Haus zwanzig

ABGRUND

4.17 Grad Schütze bis 17.08 Grad Schütze –
Herrscher: Jupiter und Mars

Der blaugeflügelte Ikarus trägt ein rotes Band um das blonde Haar und ist mit entschlossenem Gesichtsausdruck gerade dabei, von einer Klippe zu springen, um sich in die Lüfte zu erheben. Über seinem Kopf glüht ein blassgelber Mond, der aussieht wie die Sonne.

ABANAHAYA – EIN STRAHL

Der Überlieferung nach wurde der Mond in diesem Haus als günstig für das Zähmen wilder Tiere und das Verstärken von Gefängnissen angesehen. Man glaubte, er könne einen Menschen dazu veranlassen, an einen bestimmten Ort zu kommen. Die Chinesen waren der Ansicht, dass der Mond in diesem Haus dem Handel förderlich sei, obwohl auch die Gefahr von Verlusten bestand.

DIE BEDEUTUNG DER KARTE

Jupiter und Mars vereinigen sich in diesem Haus des Schützen, um eine ungestüme und sehr enthusiastische Handlungsweise zu fördern. Der traditionell impulsive und hitzköpfige Mars wird von der expansiven Natur des Jupiter energetisiert und bis an seine Grenzen getrieben. Dies ist die Karte des Spielers. Sie weist darauf hin, dass in einer wahrscheinlich sehr wichtigen Angelegenheit eine leichtsinnige Entscheidung aus dem Moment heraus getroffen wurde. Wenn diese Karte gezogen wird, ist jemand, der mit der in Frage stehenden Angelegenheit zu tun hat, in einer irrigen Ansicht über seine eigene Unfehlbarkeit gefangen. Diese Karte warnt davor, sich gegen den Rat anderer in eine unbekannte Situation zu stürzen.

Menschen, die mit dem Mond in Haus zwanzig geboren wurden:
Oprah Winfrey, Pablo Picasso, Christopher Reeve, Bob Geldorf

SCHLÜSSELBEGRIFFE

Ungestüm, eine leichtsinnige Entscheidung

Haus einundzwanzig

DUELL

17.08 Grad Schütze bis 0 Grad Steinbock – Herrscher: Mars und Sonne

Zwei gleich starke männliche Ringer versuchen, sich gegenseitig niederzuwerfen. Ihre Beine und Arme sind im Kampf verschlungen und keiner von beiden ist in der Lage, den anderen zu überwinden. Die rote Figur stellt den Planeten Mars dar, die goldene Figur die Sonne. Im Hintergrund ragen schwarze Hügel in den blaugrünen Himmel.

ALBEDA – DIE WÜSTE

Die Zeit, in welcher der Mond durch dieses Haus wanderte, galt der Überlieferung nach als günstig, um eine Scheidung in die Wege zu leiten. Nach der indischen Astrologie begünstigt der Mond in diesem Haus kriegerische Handlungen, Jagdinstinkte und sexuelle Ausschweifungen.

DIE BEDEUTUNG DER KARTE

Mars und Sonne, beides Symbole für kreative Lebensenergie und Wettbewerb, kämpfen im hitzigen Zeichen Schütze miteinander und deuten damit einen Konflikt zwischen eigenem Willen und Autorität an. Die Sonne steht für die mächtige, beherrschende Vaterfigur, während Mars den extrovertierten, ungeratenen Sohn symbolisiert. Jeder der beiden glaubt, dass er im Recht ist und will sich dem anderen um keinen Preis unterwerfen. Die beiden haben einen toten Punkt erreicht. Wenn du diese Karte ziehst, wird deine gesunde Aggression angeregt und der Wunsch, um jeden Preis zu gewinnen, ist stark. Im Moment gibt es nur zwei Möglichkeiten: nachzugeben oder zu riskieren, dass du im Kampf verwundet wirst. Die schwarzen Hügel im Bild weisen auf einen ungewissen Ausgang der Sache hin.

Menschen, die mit dem Mond in Haus einundzwanzig geboren wurden:
Judy Garland, Billie Graham, Henri Matisse, Al Pacino

SCHLÜSSELBEGIFFE

Wettbewerb, Konflikt entgegengesetzter Ansichten

Haus zweiundzwanzig

HOCHZEIT

o Grad Steinbock bis 12.51 Grad Steinbock –
Herrscher: Saturn und Venus

Ein Mann und eine Frau, beide mit hellem Haar und in Orange gekleidet, stehen auf einem steinernen Podest unter einem Torbogen. Sie blicken starr nach vorn aus dem Bild und haben die rechten Hände vor ihren Körpern aufeinander gelegt, während sie sich mit den linken Armen hinter dem Rücken umfassen. Pflanzen ranken am Torbogen über ihren Köpfen aufeinander zu.

CAALDALBALA – PASTOR

Die Zeit, in welcher der Mond durch dieses Haus wanderte, war traditionell günstig zur Herstellung von Pentakeln, mit denen man Zauber wirkte, die sowohl Streit säen als auch Freundschaft bringen konnten. Die Araber betrachteten dieses Haus als Indikator persönlicher Macht und als ungünstig für die Heirat.

DIE BEDEUTUNG DER KARTE

Der Steinbock und sein Herrscher Saturn weisen auf Autorität hin und auf die traditionelle Art, Dinge zu tun. Der Planet Venus ist auf den Erwerb von Besitztümern bedacht, was auch Talente und persönliches Ansehen einschließt. Die Kombination der beiden Planeten erzeugt den starken Wunsch, akzeptiert und von der Gemeinschaft geachtet zu werden. Dieses Mondhaus repräsentiert die Idee, die richtigen Dinge nach dem gesellschaftlichen Diktat zu tun. Diese Karte hat nichts mit Liebe oder Beziehung zu tun. Ehe ist hier im Sinne einer Vernunftehe zu verstehen oder als Metapher für gesellschaftlich akzeptables Handeln. Wenn du diese Karte ziehst, wirst du eine konventionelle Wahl treffen oder auf eine Weise handeln, die alle von dir erwarten.

Menschen, die mit dem Mond in Haus zweiundzwanzig geboren wurden:
Mia Farrow, Annie Lennox, Michael Douglas, Yehudi Menhuin

SCHLÜSSELBEGRIFFE

Konformes Verhalten, Wahren des Scheins

Haus dreiundzwanzig

GESTÄNDNIS

12.51 Grad Steinbock bis 25.43 Grad Steinbock –

Herrscher: Venus und Merkur

Zwei Frauen, eine mit langem roten Haar, die andere mit langem blonden Haar, neigen sich in ein Gespräch vertieft einander zu. Zwischen ihnen steht ein Topf mit einer riesigen Pflanze, deren Blätter wie Lippen geformt und gefärbt sind. Sie symbolisieren den Klatsch. Hinter der sich über die ganze obere Bildhälfte ausbreitenden grünen Pflanze hängt ein großer schwarzer Mond am Himmel.

CAALDELBOLAB – SCHLUCKEN

Die Zeit, in welcher der Mond durch dieses Haus wandert, galt traditionell als gut für Scheidungen, die Befreiung Gefangener und die Gesundung von Kranken. Wenn der Mond zum Zeitpunkt der Geburt in diesem Haus stand, glaubten die Kabbalisten, dies deute auf ein Leben voll Kampf und Neid hin, obwohl ein gewisses Maß an Erfolg mit Hilfe anderer erreicht werden konnte.

DIE BEDEUTUNG DER KARTE

Venus stellt die Entscheidungen dar, die getroffen werden, und Merkur bezeichnet Gedankengänge und Diskussionen. Mit Mond im verantwortungsvollen und sich anpassenden Zeichen Steinbock stehen diese Planeten für das ernste und vertrauliche Gespräch über emotionale Angelegenheiten. Wenn du diese Karte ziehst, suchst du einen bestimmten Rat und wirst eine Antwort bekommen. Der Schwarzmond auf dem Bild zeigt an, dass etwas Wichtiges bis jetzt noch im Dunkeln liegt. Obwohl es lange geheim gehalten wurde, wirst du es bald enthüllen. Diese Karte weist oft auf einen Skandal hin.

Menschen, die mit dem Mond in Haus Dreiundzwanzig geboren worden sind:
Cher, Billie Holliday, Tammy Wynette, Nina Simone

SCHLÜSSELBEGRIFFE

Vertrauliches Gespräch, Enthüllungen

Haus vierundzwanzig
MASKE
25.43 Grad Steinbock bis 8.34 Grad Wassermann –
Herrscher: Merkur und Uranus

Das raumfüllende Gesicht einer Frau mit reich dekoriertem Diadem und tadelloser Frisur scheint seltsam unbewegt. Ein kleiner roter Mond ist zwischen ihren Augenbrauen aufgemalt und ihre Lippen sind voll und sinnlich, aber ihre Augen sind nicht zu sehen. Dieses Gesicht ist nichts anderes als eine schöne Maske.

CAADACHOT – DIE ÄRMSTEN DER ARMEN

Die Zeit, in welcher der Mond durch dieses Haus wanderte, galt der Überlieferung nach als ungünstig für Menschen, die eine Autoritätsposition in der Gesellschaft innehatten. Es war jedoch eine gute Zeit, um Pentakel herzustellen, die Menschen dazu befähigten, Macht über ihre Feinde zu gewinnen. Die Kabbalisten hielten den Mond in diesem Haus für vorteilhaft, wenn man klug handelte. Anderenfalls jedoch konnte er ein gutes Schicksal zum Schlechten wenden.

DIE BEDEUTUNG DER KARTE

Merkur und Uranus vereint sorgen für exzentrische und sogar hinterlistige Gedanken. Steinbock und Wassermann stehen im Konflikt miteinander. Der Steinbock ist darauf bedacht, den Schein zu wahren, während der Wassermann neuen Boden betreten und althergebrachte Ansichten ändern will. Dieses Haus deutet nachteiliges, ungewöhnliches oder unerwartetes Gerede an. Wenn diese Karte gezogen wird, lügt jemand. Diese Person erhält verzweifelt eine Illusion aufrecht, um etwas völlig anderes zu verschleiern, über das du Bescheid wissen solltest. Die Karte weist darauf hin, dass eine Enthüllung oder Offenbarung ansteht. Die Maske wird fallen.

Menschen, die mit dem Mond in Haus vierundzwanzig geboren wurden:
Joan Crawford, John Lennon, Indira Gandhi, Susan Sarandon

SCHLÜSSELBEGRIFF
Täuschung

Haus fünfundzwanzig

REBELL

8.34 Grad Wassermann bis 21. 26 Grad Wassermann –
Herrscher: Uranus und Merkur

Eine weibliche Figur mit langen roten Haaren schwebt jenseits der Schwerkraft verkehrt herum im Raum. Ihr Gesicht ist entspannt und verrät keinerlei Besorgnis angesichts dieser ungewöhnlichen Stellung. Kleine Elementarsymbole schweben um die Figur herum. Ein gelber Schleier hängt von ihrer Taille.

CAALDA – SCHMETTERLING

Wenn der Mond zum Zeitpunkt der Geburt durch dieses Haus wanderte, nahm man früher an, dass dieses Kind mutig und dickköpfig werden würde und fähig, seine Feinde zu besiegen. Man glaubte jedoch auch, dass es zu einem ungehobelten, exzentrischen oder ungewöhnlichen Verhalten neige, das für unglückbringend bei Geschäften gehalten wurde.

DIE BEDEUTUNG DER KARTE

Uranus und Merkur vereint im Wassermann erzeugen einen Aspekt, der sich sehr wenig um Regeln und Traditionen kümmert. Diese Karte weist darauf hin, dass traditionelle Ideen und althergebrachte Ansichten überprüft und geändert werden müssen. Es ist wesentlich für den Fortschritt, dass neue Perspektiven und neue Arbeitsweisen gefunden werden. Wenn diese Karte gezogen wird, ist das Potential für außergewöhnlich kluges Denken vorhanden, das den Funken des Genialen entzünden kann. Die Karte deutet große Hingabe an eine Sache an. Du bist sicher, dass deine Position richtig ist, egal wie wacklig und gefährlich sie anderen erscheint. Bereite dich darauf vor, völlig aus der Rolle zu fallen, um zu erreichen, was du beabsichtigst.

Menschen, die mit dem Mond in Haus fünfundzwanzig geboren wurden:
Mohammed Ali, Marylin Monroe, Tennessee Williams

SCHLÜSSELBEGRIFFE

Für eine Sache kämpfen, exzentrisches Verhalten

Haus sechsundzwanzig

GEFANGENE

21.26 Grad Wassermann bis 4.17 Grad Fische –
Herrscher: Venus und Neptun

Eine starke Frau mit blauen Blumen in ihrem langen goldenen Haar wird von einer rostigen, vernieteten Metallstruktur eingerahmt. Die Struktur steht auf zwei Metallsäulen, in denen jeweils eine Treppe zu einem verhüllten Durchgang führt, durch den Licht scheint.

ALGAFARMUTH – DER ERSTE ZUG DES WASSERS

Traditionelle indische Astrologen glauben, dass der durch dieses Haus ziehende Mond Reichtum begünstigt, aber kein Glück bringt. Von Männern, die mit dem Mond in diesem Haus geboren wurden, nahm man früher an, dass Frauen ihnen gehorchen, obgleich sie wahrscheinlich die meisten ihrer zärtlichen Impulse aus Geiz unterdrücken.

DIE BEDEUTUNG DER KARTE

Die leidenschaftliche Natur des Neptun ist oft verwirrt und nicht in der Lage, den Unterschied zwischen Phantasie und Realität zu erkennen. Zusammen mit der sanften Venus kann sie auf die archetypische „Opferfigur" hinweisen, die mehr in der Vorstellung als in der Realität ein Opfer ist. Dieses Haus deutet geistige, emotionale oder körperliche Gefangenschaft an, die entweder selbst verschuldet oder dadurch verursacht ist, dass jemand anderer verraten wurde.

Wenn du diese Karte ziehst, bist du – wie die Frau auf dem Bild – nicht wirklich gefangen, wie du glaubst, sondern kannst jederzeit aus der beengenden Situation entfliehen. Die Durchgänge unter dem Gefängnis deuten an, dass dir neue Wege offen stehen.

Menschen, die mit dem Mond in Haus sechsundzwanzig geboren wurden:
Woody Allen, Prinzessin Diana von Wales, Elvis Presley, Michelangelo

SCHLÜSSELBEGRIFFE

Einen Ausweg suchen, Verrat

Haus siebenundzwanzig

GURU

4.17 Grad Fische bis 17.08 Grad Fische –
Herrscher: Neptun und Mond

Eine blauhäutige Figur schwebt mit gekreuzten Beinen in einer gelassenen, meditativen Haltung. Die blaue Farbe der Haut bildet im Gesicht zusammen mit Gelb ein Yin-Yang-Symbol. Auf dem Unterbauch der Figur ist das Symbol der Transzendenz zu sehen. Vom Kopf und von beiden Schultern strahlen Energiewellen aus. Unter der Figur fliegen zwei blaue Vögel, die spirituelle Erleuchtung darstellen, und hinter ihr leuchtet die Scheibe eines roten Mondes.

ALGARFERMUTH – DER ZWEITE ZUG DES WASSERS

Die Zeit, in welcher der Mond in diesem Haus steht, galt traditionell als günstig für alles, was mit Hellsichtigkeit, psychischen Kräften und spirituellen Angelegenheiten zu tun hat. Sie wurde jedoch nicht als glückbringend für den Beginn eines Projektes betrachtet, das, wie man glaubte, mit Schwierigkeiten oder Verzögerungen belastet sein würde.

DIE BEDEUTUNG DER KARTE

Der tiefgründige, emotionale Mond kann in Verbindung mit dem nach Höherem strebenden Neptun in den Fischen, dem spirituellsten Zeichen, auf Inspiration oder Wirklichkeitsflucht hinweisen. Diese Kombination deutet häufig einen Rückzug von der Welt an, vielleicht mit Hilfe von Drogen. Der Mond in diesem Haus weit auf kreative Inspiration auf hoher Ebene hin, auf der Phantasie und Realität eine Zeitlang eins werden können. Wenn du diese Karte ziehst, hast du vielleicht den Wunsch, aus einer schwierigen Situation zu entfliehen oder dir einfach eine kleine Pause zu gönnen, um dich wieder zu sammeln.

Menschen, die mit dem Mond in Haus siebenundzwanzig geboren wurden:
Coco Chanel, Frank Sinatra, Hugh Hefner, Mata Hari

SCHLÜSSELBEGRIFFE

Inspiration, Flucht

Haus achtundzwanzig
SCHLÄFERIN
17.08 Grad Fische bis 0 Grad Widder –
Herrscher: Mond und Pluto

Eine bleiche nackte Frau liegt mit schönem entspanntem Gesicht da und schläft. Über ihren auf der Brust gekreuzten Armen liegt ein großer runder Mondstein. Die blassgrünen Flechten ihres Haares schlängeln sich wie Flüsse von ihrem Körper weg. Wassertropfen fallen daraus zu Boden. Sie ist der schlafende Mond.

ANAXHE – DER BAUCH DES FISCHES

Wenn der Mond in diesem Haus steht, das von den Kabbalisten „die Sphäre" genannt wurde, glaubte man, er habe einen doppelten Einfluss. Von einem Menschen, der mit dem Mond in diesem Haus geboren wurde, nahm man an, dass ihm ein Leben voller Kampf vorherbestimmt sei, dass es jedoch in seiner inneren Welt immer ruhig und sanft zugehen würde.

DIE BEDEUTUNG DER KARTE

Mond und Pluto in Kombination mit den Fischen symbolisieren den Mythos von Persephone. Von Hades entführt, war sie gezwungen, einen Teil des Jahres in der Unterwelt zu verbringen. Diese Karte deutet an, dass eine starke emotionale Kraft zur Zeit gefangen ist und auf die richtige Zeit wartet, um zum Ausdruck zu kommen. Der Mond in diesem Haus weist auf eine Zeit der Ruhe und Stille hin, bevor neue Energie zusammengenommen werden kann. Es ist eine Zeit der Vorahnungen und der Hellsichtigkeit. Wenn du diese Karte ziehst, kannst du das, was getan werden muss, erst angehen, wenn die Zeit der Ruhe vollendet ist. Deine Fähigkeit, die Zukunft zu visualisieren, spielt jedoch eine ganz wichtige Rolle und wird später zu einem erfolgreichen Ausgang der Angelegenheit führen.

Menschen, die mit dem Mond in Haus achtundzwanzig geboren wurden:
Grace Kelly, O.J. Simpson, Sissy Spacek, Eartha Kitt

SCHLÜSSELBEGRIFFE
Vorahnung, Verdacht

LESUNGEN

Bevor Sie die Karten für sich selbst oder jemand anderen legen, sollten Sie sich in einen entspannten Zustand versetzen. Wenn Sie mit etwas beschäftigt sind, das Ihnen Sorgen macht, oder vom alltäglichen Kleinkram abgelenkt werden, sind Sie nicht offen und feinfühlig genug, um eine Lesung vorzunehmen. Suchen Sie sich einen ruhigen Platz, an dem Sie mindestens zehn Minuten lang bequem sitzen können, bevor Sie anfangen. Erlauben Sie Ihren Gedanken, ungehindert an die Oberfläche Ihres Bewusstseins zu kommen, und lassen Sie sie vorüberziehen, ohne sich weiter damit zu beschäftigen. Wenn Sie bereits Erfahrung mit einer bestimmten Art der Meditation oder einer bestimmten Entspannungstechnik haben, können Sie diese anwenden, um Ihren Geist von Ablenkungen und Ihren Körper von Spannungen zu befreien.

Führen Sie vor jeder Lesung eine Zeremonie oder ein Ritual durch, das Ihr Unbewusstes mit den Karten und mit dem Mond verbindet. Rituale geben uns die Möglichkeit, mitten in unserem geschäftigen Alltag Raum für etwas anderes zu schaffen. Mit einem Ritual bringen Sie die Achtung zum Ausdruck, die Sie für etwas empfinden. Rituale müssen übrigens nichts mit Religion oder Magie zu tun haben. Sie finden sich in fast allen Bereichen unseres Lebens.

Wenn Sie zum Beispiel Freunde oder Familienmitglieder zu einem besonderen Abendessen eingeladen haben, werden Sie wahrscheinlich ziemlich viel Zeit damit verbringen, mit Blumen und Beleuchtung für die richtige Atmosphäre zu sorgen und den Tisch auf besondere Weise zu decken. Bevor Sie sich auf den Weg zu einem Rendez-vous machen, gönnen Sie sich vielleicht ein entspannendes Duftbad, um in die richtige Stimmung zu kommen.

Denken Sie sich eine oder mehrere Vorbereitungszeremonien aus, die Sie ansprechen, und behalten Sie sie bei. Steht zum Beispiel der Mond am Himmel, wenn Sie gerade eine Lesung vornehmen wollen, dann können Sie hinausgehen und ihn betrachten. Meditieren Sie über seine Form, stellen Sie Kontakt zu ihm her und holen Sie sich Kraft von ihm. Sie können aber auch einen weißen Kiesel in eine Schüssel voll Wasser legen. Diesen Kiesel, der den Mond darstellen soll, betrachten Sie, während Sie die gestellte Frage auf sich wirken lassen.

Legesysteme

Die meisten traditionellen Legesysteme des Tarot können auch für das Mondorakel verwendet werden. Im Folgenden haben wir drei Legesysteme in allen Einzelheiten beschrieben, aber sicherlich werden Ihnen noch viele andere einfallen, nachdem Sie mehr Erfahrung mit den Karten gesammelt haben. Sobald Sie mit den Bedeutungen der Karten vertraut sind, werden Sie wahrscheinlich Ihr eigenes Legesystem entwickeln wollen, das am besten zu Ihrer Arbeitsweise passt.

Die Tatsache, dass man die Mondkarten zur Bestimmung eines bestimmten Zeitpunkts verwenden kann, eröffnet Möglichkeiten für ganz neue, personalisierte Legesysteme (siehe Seite 16). Drei einzelne Karten – eine Mondphase, ein Mondhaus und eine Göttin – können Ihnen zum Beispiel helfen, eine schnelle Entscheidung zu treffen. Immer wenn eine Mondphasenkarte in einer Legung auftaucht, können Sie in den Mondtabellen vor und zurück gehen, um herauszufinden, wann der Mond in der gleichen

Phase war und wann er es das nächste Mal sein wird.

Das einfache Kreuz

Die folgende Beispiellesung können Sie anhand des unten abgebildeten Schemas sicherlich gut nachvollziehen. Legen Sie die Karten, die Sie aus den drei Stapeln ziehen, wie angegeben auf die einzelnen Positionen.

Die Frage

Am 31. März 1999 kam Sandra, eine Kinderbuchautorin, um durch uns das Mondorakel zu befragen. Sie hatte einem Verleger einen Vorschlag für eine Reihe von Kinderbüchern gemacht. Die Figuren dafür hatte sie für ein früheres, sehr erfolgreiches Buch erfunden. Der Verleger hatte die Idee gerade abgelehnt und die Arbeit an ihren Agenten zurückgegeben. Sandra wollte wissen, ob es sich lohne, dieses Projekt weiter zu verfolgen.

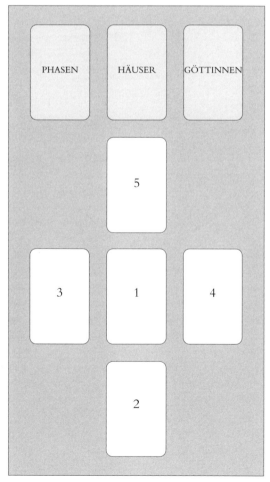

Das einfache Kreuz

DIE VERTEILUNG DER KARTEN

Die Lesung findet am 31. März 1999 statt. Den Mondtabellen können wir die Mondphase für diesen Tag entnehmen: Vollmond in Luft/Waage. Diese Mondphasenkarte liegt auf Position 1 und stellt den gegenwärtigen Zustand der Frage dar.

Dann werden die drei Kartenstapel – Mondgöttinnen, Mondhäuser und Mondphasen – getrennt gemischt, wobei die Aufmerksamkeit immer bei der Frage bleibt. Danach werden die Karten auf folgende Weise gezogen und ausgelegt.

Die oberste Karte vom Mondphasenstapel wird auf Position 2 gelegt. Diese Karte stellt den Hintergrund der Frage dar. Wir ziehen den schwindenden Feuermond.

Die oberste Karte des Mondhäuserstapels wird auf Position 3 gelegt. Diese Karte zeigt an, was als nächstes getan werden muss. Wir ziehen Haus 16 – Tür.

Die nächste Karte des Mondhäuserstapels wird auf Position 4 gelegt. Diese Karte steht für das Ergebnis der Legung. Wir ziehen Haus 15 – Bukett.

Zum Schluss wird die oberste Karte des Göttinnenstapels auf Position 5 gelegt. Diese Karte weist auf die Art und Weise hin, in die die Fragende handeln muss, um mit der Situation umgehen zu können. Wir ziehen Lilith.

DIE DEUTUNG

1. Die erste Karte – Vollmond in Luft/Waage – passt vollkommen zu der von Sandra gestellten Frage. Das Element Luft bezieht sich auf Kommunikation, und Bücher passen sehr gut in diese Kategorie. Der Vollmond zeigt an, dass die Idee für die Bücher das Präsentationsstadium erreicht hat und kürzlich vorgestellt worden ist. In manchen Fällen weist die Vollmondkarte auf einen erfolgreichen Ausgang hin, aber in diesem Fall bedeu-

tet sie einfach nur, dass die Idee von anderen zur Kenntnis genommen wurde. Der Mond steht in Waage und das bedeutet, dass jemand anderes beteiligt ist. Diese Mondphase zeigt häufig die Blüte einer Partnerschaft, ein Urteil zu Gunsten des Fragenden oder Unterstützung durch andere an. Da der Verleger keinen Gefallen an der Idee gefunden hat, bedeutet diese Karte, dass Sandras Agent das Projekt nach wie vor für vielversprechend hält.

2. Der schwindende Mond zeigt immer eine Entwicklung von etwas Vorangegangenem an. Dass er im Feuer steht, weist darauf hin, dass es hier um Sandras Kreativität geht. Diese Karte stellt Vertrauen dar, das auf der Grundlage früherer Errungenschaften gewonnen wurde. Sie bedeutet auch, dass dies eine günstige Zeit ist, um etwas Gutes, das bereits geschaffen wurde, zu fördern und weiterzuentwickeln.

3. Mondhaus 16 – Tür – deutet in dieser Position darauf hin, dass Sandra ihr Konzept verändern muss, indem sie einen neuen Gedanken oder eine unorthodoxe Denkweise ins Spiel bringt. Sie muss sich von den alten, vertrauten Denkmustern lösen. Die Karte stimmt optimistisch und weist darauf hin, dass die Idee immer noch Aussicht auf Erfolg hat. Sandra muss die Tür durchschreiten, wenn das Leben weitergehen soll.

4. Die Bedeutung der Karte Mondhaus 15 – Bukett – in der Position „Ausgang der fraglichen Angelegenheit" ist klar. Sie steht für unerwartete Liebe. Da die Frage mit Luft (einer Idee) und Büchern zu tun hat, muss die Karte bedeuten, dass sich jemand in Sandras Idee verlieben wird. Das Engagement für ihre Bücher kommt vermutlich aus unerwarteter Quelle und sehr plötzlich.

5. Lilith ist die Göttin, die sich behaupten konnte, obwohl sie von Adam abgelehnt wurde. Es ist nun Sandras Aufgabe, ihren Agenten zum Handeln anzuspornen. Diese erste Ablehnung ist vielleicht nicht die letzte, aber schließlich wird sie ihren Verleger finden.

Die Sieben Schwestern

Vollziehen Sie die Beispiellesung anhand der Abbildung nach und legen Sie die Karten wie angegeben auf die einzelnen Positionen.

DIE FRAGE

Nachdem sie in den letzten paar Jahren einer Reihe von wechselnden Beziehungen gehabt hatte, traf Diane, eine Friseuse, ihre große Liebe: Peter, den Chef eines großen Speise- und Getränkelieferdienstes. Peter war noch verheiratet, lebte aber bereits von seiner Familie getrennt und wohnte zur Zeit allein.

Diane und Peter kannten sich zwar erst seit wenigen Wochen, hatten sich aber bereits entschlossen, gemeinsam ein neues Leben zu beginnen. Sie wollten aus London wegziehen und ein kleines Restaurant auf dem Land eröffnen. In einem Anfall von Enthusiasmus hatten sie eine alte Schenke in einer völlig einsamen Gegend gefunden und bereits ein Angebot dafür gemacht. Dianes Frage war: „Wird das gut gehen oder bin ich verrückt?"

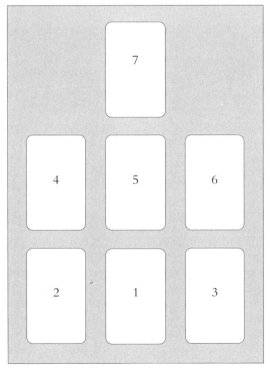

Die sieben Schwestern

DIE VERTEILUNG DER KARTEN

Die Lesung findet am 22. Januar 1999 um 15.15 Uhr statt. Die Mondphase für diesen Tag ist: Sichelförmiger Mond in Wasser/ Fische mit dem Schlüsselwort Instinkt. Die entsprechende Karte wird auf Position 1 gelegt und steht für die Natur der Frage in diesem Moment.

Dann werden die drei Kartenstapel – Mondgöttinnen, Mondhäuser und Mondphasen – getrennt gemischt, wobei die Aufmerksamkeit immer bei der Frage bleibt. Danach werden die Karten auf folgende Weise gezogen und ausgelegt.

Die oberste Karte des Mondphasenstapels wird auf Position 2 gelegt. Diese Karte stellt die Vergangenheit dar. Wir ziehen den Mond im ersten Viertel in Feuer mit dem Schlüsselwort Konkurrenz

Die nächste Karte vom Mondphasenstapel wird auf Position 3 gelegt. Sie stellt die Zukunft dar. Wir ziehen den buckligen Mond in Luft mit dem Schlüsselwort Förderung.

Als nächstes werden drei Karten aus dem Häuserstapel von links nach rechts auf die Positionen 4, 5 und 6 jeweils über die Mondphasenkarte gelegt. Diese Karten geben weitere Information über Vergangenheit, Gegenwart und Zukunft der Frage. Wir ziehen Haus 20, Abgrund, für die Vergangenheit, Haus 8, Ritter, für die Gegenwart und Haus 18, Opfer, für die Zukunft.

Zuletzt legen wir die oberste Karte aus dem Göttinnenstapel auf Position 7. Diese Karte zeigt, in welcher Weise die Fragende handeln muss, um mit der Situation umgehen zu können. Es ist die Göttin Ishtar.

DIE DEUTUNG

1. Der sichelförmige Mond in Wasser deutet auf den Beginn von etwas Emotionalem. Fische idealisieren Gefühle und finden es schwierig, Realität und Wunschträume aus-

einander zu halten. Dies ist das anpassungsfähigste aller Wasserzeichen, das beinahe jedes Zugeständnis macht, um Gefühle wachsen zu lassen.

2. Der Feuermond im ersten Viertel weist in dieser Position darauf hin, dass bereits sehr viel mächtige Leidenschaft vorhanden ist. Den Mondtabellen können wir entnehmen, dass der Mond das letzte Mal am 26. Dezember 1998 im ersten Viertel in Feuer stand. Überraschenderweise war dies genau die Zeit, in der Diane und Peter ihre ersten stürmischen Verabredungen trafen. Zu dieser Zeit stand der Mond im Zeichen Widder, dem hitzigsten und impulsivsten aller Feuerzeichen. Das Schlüsselwort für diese Karte ist Konkurrenz. Das bezieht sich wahrscheinlich auf die Art, wie frisch Verliebte sich gegenseitig in ihrer Leidenschaft und Hingabe zu übertreffen versuchen.

3. Der bucklige Mond in Luft mit dem Schlüsselwort Förderung repräsentiert die Zukunft. Dies ist die Mondphase, die zum Vollmond führt. Die Karte ist also vielversprechend, wenn es um den Erfolg eines Projekts geht. Die Mondtabellen geben Auskunft darüber, wann der bucklige Mond das nächste Mal in Luft steht. Das ist eine Woche nach der Lesung der Fall, nämlich am 28. Januar: Mond im Zeichen Zwillinge. Dies ist eine gute Zeit, um Dinge ans Licht zu bringen und die Karten auf den Tisch zu legen. In diesem Stadium ist eine Idee stark und wartet nur noch auf vollständige Zustimmung.

4. Als nächstes betrachten wir die Häuserkarten. Über der Mondphasenkarte für die Vergangenheit liegt Haus 20, Abgrund. Dies ist die Karte des Spielers. Sie weist darauf hin, dass eine verwegene Entscheidung aus dem Bauch heraus getroffen wurde. Sie offenbart

auch, dass jemand, der mit der Frage zu tun hat, sich selbst für nahezu unfehlbar hält. Diese Karte macht deutlich, dass Diane und Peter sich ein wenig überstürzt auf ein Wagnis eingelassen haben.

5. Über der Mondphasenkarte für die Gegenwart liegt Haus 8, Ritter. Diese Karte zeigt, dass nichts, was wir sagen, Diane von ihrem Plan abbringen kann. Dieses Haus ist hochgradig defensiv und steht mit dem brütenden, häuslichen Zeichen Krebs in Verbindung.

6. Über der Mondphasenkarte für die Zukunft liegt Haus 18, Opfer. Diese Karte repräsentiert die leidenschaftlichste Hingabe an eine Sache, die überhaupt möglich ist. Hier muss ein Opfer gebracht werden und es gibt viele wichtige Dinge zu bedenken. Diane verkauft ihr Haus und zieht mit einem Mann zusammen, den sie erst seit drei Monaten kennt und mit dem sie seit ein paar Wochen eine enge Beziehung hat. Peter ist immer noch verheiratet, obwohl er sich scheiden lassen will.

7. Die Mondgöttin Ishtar deutet an, dass Diane möglicherweise alles aufgeben muss, um diesen Kampf durchstehen zu können, und dass sie am Ende vielleicht sogar um Hilfe bitten muss. Diese Karte sagt auch, dass der März ein bedeutender Monat im Zusammenhang mit der Frage ist.

Die Lesung gab die vorausgegangenen Ereignisse weitgehend korrekt wieder und zeigte, dass die Zukunft potentiell erfolgreich sein würde, wenngleich nicht ohne Risiken, und dass Opfer gebracht werden mussten. Da die Mondphasenkarte für die Zukunft ein zunehmender Mond in Luft war, waren wir der Meinung, dass die finanziellen und rechtlichen Angelegenheiten unabhängig vom Aus-

gang der Liebesbeziehung hundertprozentig hieb- und stichfest sein mussten. Wir gaben Diane den Rat, einen Anwalt aufzusuchen und sich für den Fall, dass die Liebesbeziehung nicht von Dauer sein würde, vertraglich abzusichern. Eine Woche nach der Lesung erhielt Diane ein rechtsgültiges Dokument von ihrem Anwalt, das ihre finanzielle Position in dem neuen Geschäft sicherte. Im März 1999 wurde ihr Angebot für den Kauf des Lokals angenommen und das Paar ist nach wie vor begeistert bei der Sache.

Das keltische Kreuz

Dieses traditionelle Legesystem aus dem Tarot eignet sich sehr gut für das Mondorakel. Zunächst wird die aktuelle Mondphasenkarte mit Hilfe der Mondtabelle ermittelt und auf Position 1 gelegt. Diese Karte steht für die Natur der Frage im gegenwärtigen Moment. Dann werden Häuserkarten und Mondphasenkarten auf einen Stapel gelegt und gründlich gemischt. Die Göttinnenkarten kommen auf einen eigenen Stapel und werden ebenfalls gut gemischt.

Nun wird die oberste Karte aus dem Göttinnenstapel quer über Karte 1 auf Position 2 gelegt. Diese Karte zeigt den Einfluss der Göttin auf die Frage. Alle anderen Positionen werden nun mit Karten aus dem anderen Stapel belegt:

3. Diese Karte stellt den Hintergrund der Situation dar.

4. Diese Karte weist auf Ereignisse in der jüngsten Vergangenheit hin.

5. Diese Karte repräsentiert die gegenwärtige Situation.

6. Diese Karte steht für die Zukunft.

7. Diese Karte offenbart die Gefühle des Fragenden in der Angelegenheit.

8. Diese Karte zeigt, was andere Leute denken.

9. Diese Karte zeigt, was für und gegen die Angelegenheit spricht.

10. Diese Karte weist auf den Ausgang der Sache hin.

Das keltische Kreuz

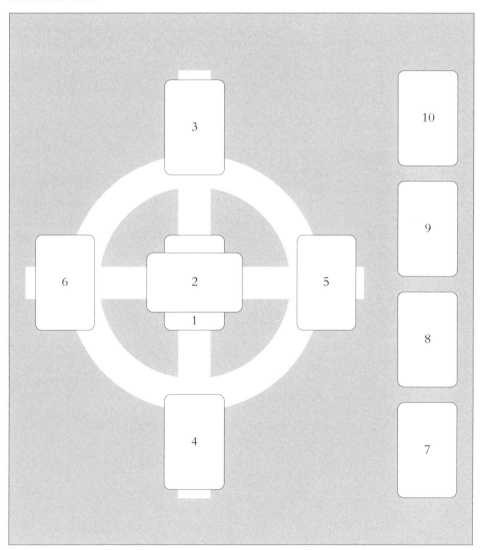

DIE MONDTABELLEN

Die Mondtabellen auf den folgenden Seiten können Sie benutzen, nachdem Sie Ihre Ortszeit in westeuropäische Zeit (WEZ), auch als Greenwich Mean Time (GMT) bekannt, umgerechnet haben. Wenn Ihre örtliche Zeitzone auf Sommerzeit umgestellt wird, müssen Sie dies für Ihre Umrechnung berücksichtigen.

Berechnen Sie die Differenz zwischen Ihrer Ortszeit und der WEZ mit Hilfe der folgenden Tabelle. Addieren oder subtrahieren Sie dann die entsprechende Anzahl von Stunden, wenn Sie in den Mondtabellen nachsehen. Die genaue WEZ ist nur für die Tage wichtig, an denen der Mond von einer Phase in die andere wechselt.

Hier ein Beispiel: Wir möchten unsere Lesung am 16. Juni 2000 um 16.35 Uhr in Houston, Texas, durchführen. Der Mondtabelle können wir entnehmen, dass der Mond an diesem Tag um 22.26 Uhr WEZ in die Vollmondphase eingetreten ist. Nun müssen wir den Unterschied zwischen der Zeit in Houston und der WEZ kennen, um herausfinden zu können, ob 16.35 Uhr in Houston vor oder nach dem Wechsel des Mondes in die Vollmondphase liegt. Die Tabelle gibt für Houston WEZ − 6.00 Stunden an. Also addieren wir zu 16.35 Uhr in Houston sechs Stunden und erhalten so eine WEZ von 22.35 Uhr. Das sind genau neun Minuten nach dem Wechsel des Mondes in die Vollmondphase um 22.26 Uhr. Der die Lesung beherrschende Mond ist also der Vollmond in Feuer im Zeichen des Schützen. Das bedeutet, dass die auf Seite 20 beschriebene Mondphasenkarte für die Lesung maßgeblich ist.

Wenn der Tag, an dem Sie Ihre Lesung machen wollen, nicht in einer der Mondtabellen verzeichnet ist, schauen Sie einfach unter dem unmittelbar davor angegebenen nach. Zu diesem Zeitpunkt ist der Mond in eine neue Phase eingetreten, in der er sich gegenwärtig noch befindet.

Wir möchten zum Beispiel eine Lesung am 3. Oktober 2000 um 20.15 Uhr in Houston, Texas, durchführen. Am 1. Oktober ist der Mond in die Phase Sichelförmiger Mond in Wasser im Zeichen Skorpion eingetreten. Der Wechsel in die nächste Mondphase findet am 5. Oktober statt. Wir befinden uns also nach wie vor in der Phase des Sichelförmigen Mondes und brauchen die WEZ nicht zu berechnen.

Amsterdam	WEZ + 01.00
Athen	WEZ + 02.00
Berlin	WEZ + 01.00
Bombay	WEZ + 05.30
Kairo	WEZ + 02.00
Calgary	WEZ − 07.00
Chicago	WEZ − 06.00
Durban	WEZ + 02.00
Gibraltar	WEZ + 01.00
Houston	WEZ − 06.00
London	WEZ 00.00
Madrid	WEZ + 01.00
Melbourne	WEZ + 10.00
Montreal	WEZ − 05.00
New York	WEZ − 05.00
Paris	WEZ + 01.00
Rom	WEZ + 01.00
San Francisco	WEZ − 08.00
Sydney	WEZ + 10.00
Tokio	WEZ + 09.00
Wellington	WEZ − 02.00

Wenn Ihnen diese Berechnung zu kompliziert ist, können Sie eine Uhr dauerhaft auf die WEZ stellen und sie nur für Lesungen benutzen.

Phase	Datum	WEZ	Zeichen/Element
Vollmond	2. Jan 1999	02:50	Krebs/Wasser
Schwindend	5. Jan 1999	15:32	Löwe/Feuer
Letztes Viertel	9. Jan 1999	14:21	Waage/Luft
Balsamisch	13. Jan 1999	17:29	Schütze/Feuer
Schwarzmond	17. Jan 1999	15:45	Steinbock/Erde
Sichelförmig	21. Jan 1999	07:38	Fische/Wasser
Erstes Viertel	24. Jan 1999	19:14	Stier/Erde
Bucklig	28. Jan 1999	04:48	Zwillinge/Luft
Vollmond	31. Jan 1999	16:07	Löwe/Feuer
Schwindend	4. Feb 1999	10:12	Waage/Luft
Letztes Viertel	8. Feb 1999	11:57	Skorpion/Wasser
Balsamisch	12. Feb 1999	13:18	Steinbock/Erde
Schwarzmond	16. Feb 1999	06:38	Wassermann/Luft
Sichelförmig	19. Feb 1999	17:22	Widder/Feuer
Erstes Viertel	23. Feb 1999	02:43	Zwillinge/Luft
Bucklig	26. Feb 1999	14:31	Krebs/Wasser
Vollmond	2. März 1999	06:58	Jungfrau/Erde
Schwindend	6. März 1999	05:46	Skorpion/Wasser
Letztes Viertel	10. März 1999	08:39	Schütze/Feuer
Balsamisch	14. März 1999	06:42	Wassermann/Luft
Schwarzmond	17. März 1999	18:47	Fische/Wasser
Sichelförmig	21. März 1999	01:29	Stier/Erde
Erstes Viertel	24. März 1999	10:18	Krebs/Wasser
Bucklig	28. März 1999	01:30	Löwe/Feuer
Vollmond	31. März 1999	22:49	Waage/Luft
Schwindend	5. April 1999	00:42	Skorpion/Wasser
Letztes Viertel	9. April 1999	02:49	Steinbock/Erde
Balsamisch	12. April 1999	20:41	Fische/Wasser
Schwarzmond	16. April 1999	04:21	Widder/Feuer
Sichelförmig	19. April 1999	08:56	Zwillinge/Luft
Erstes Viertel	22. April 1999	19:01	Löwe/Feuer
Bucklig	26. April 1999	14:02	Jungfrau/Erde
Vollmond	30. April 1999	14:54	Skorpion/Wasser
Schwindend	4. Mai 1999	17:49	Schütze/Feuer
Letztes Viertel	8. Mai 1999	17:27	Wassermann/Luft
Balsamisch	12. Mai 1999	07:08	Widder/Feuer
Schwarzmond	15. Mai 1999	12:04	Stier/Erde
Sichelförmig	18. Mai 1999	16:45	Krebs/Wasser
Erstes Viertel	22. Mai 1999	05:33	Jungfrau/Erde
Bucklig	26. Mai 1999	04:01	Waage/Luft
Vollmond	30. Mai 1999	06:39	Schütze/Feuer
Schwindend	3. Juni 1999	08:22	Steinbock/Erde
Letztes Viertel	7. Juni 1999	04:18	Fische/Wasser
Balsamisch	10. Juni 1999	14:41	Stier/Erde
Schwarzmond	13. Juni 1999	19:02	Zwillinge/Luft
Sichelförmig	17. Juni 1999	01:52	Löwe/Feuer
Erstes Viertel	20. Juni 1999	18:12	Jungfrau/Erde
Bucklig	24. Juni 1999	19:14	Skorpion/Wasser
Vollmond	28. Juni 1999	21:36	Steinbock/Erde

Phase	Datum	WEZ	Zeichen/Element
Schwindend	2. Juli 1999	20:06	Wassermann/Luft
Letztes Viertel	6. Juli 1999	11:55	Widder/Feuer
Balsamisch	9. Juli 1999	20:32	Zwillinge/Luft
Schwarzmond	13. Juli 1999	02:24	Krebs/Wasser
Sichelförmig	16. Juli 1999	12:53	Jungfrau/Erde
Erstes Viertel	20. Juli 1999	09:00	Waage/Luft
Bucklig	24. Juli 1999	11:22	Schütze/Feuer
Vollmond	28. Juli 1999	11:23	Wassermann/Luft
Schwindend	1. Aug 1999	05:14	Fische/Wasser
Letztes Viertel	4. Aug 1999	17:26	Stier/Erde
Balsamisch	8. Aug 1999	02:03	Krebs/Wasser
Schwarzmond	11. Aug 1999	11:08	Löwe/Feuer
Sichelförmig	15. Aug 1999	02:10	Waage/Luft
Erstes Viertel	19. Aug 1999	01:46	Skorpion/Wasser
Bucklig	23. Aug 1999	03:55	Steinbock/Erde
Vollmond	26. Aug 1999	23:46	Fische/Wasser
Schwindend	30. Aug 1999	12:31	Widder/Feuer
Letztes Viertel	2. Sept 2999	22:17	Zwillinge/Luft
Balsamisch	6. Sept 1999	08:34	Krebs/Wasser
Schwarzmond	9. Sept 1999	22:02	Jungfrau/Erde
Sichelförmig	13. Sept 1999	17:51	Skorpion/Wasser
Erstes Viertel	17. Sept 1999	20:05	Schütze/Feuer
Bucklig	21. Sept 1999	20:10	Wassermann/Luft
Vollmond	25. Sept 1999	10:49	Widder/Feuer
Schwindend	28. Sept 1999	19:10	Stier/Erde
Letztes Viertel	2. Okt 1999	04:02	Krebs/Wasser
Balsamisch	5. Okt 1999	17:15	Löwe/Feuer
Schwarzmond	9. Okt 1999	11:34	Waage/Luft
Sichelförmig	13. Okt 1999	11:45	Schütze/Feuer
Erstes Viertel	17. Okt 1999	14:58	Steinbock/Erde
Bucklig	21. Okt 1999	11:21	Fische/Wasser
Vollmond	24. Okt 1999	21:01	Stier/Erde
Schwindend	28. Okt 1999	02:31	Zwillinge/Luft
Letztes Viertel	31. Okt 1999	12:04	Löwe/Feuer
Balsamisch	4. Nov 1999	04:58	Jungfrau/Erde
Schwarzmond	8. Nov 1999	03:52	Skorpion /Wasser
Sichelförmig	12. Nov 1999	07:01	Steinbock/Erde
Erstes Viertel	16. Nov 1999	09:01	Wassermann/Luft
Bucklig	20. Nov 1999	00:58	Widder/Feuer
Vollmond	23. Nov 1999	07:03	Zwillinge/Luft
Schwindend	26. Nov 1999	11:43	Krebs/Wasser
Letztes Viertel	29. Nov 1999	23:19	Jungfrau/Erde
Balsamisch	3. Dez 1999	20:07	Waage/Luft
Schwarzmond	7. Dez 1999	22:30	Schütze/Feuer
Sichelförmig	12. Dez 1999	02:10	Wassermann/Luft
Erstes Viertel	16. Dez 1999	00:48	Fische/Wasser
Bucklig	19. Dez 1999	12:52	Stier/Erde
Vollmond	22. Dez 1999	17:30	Krebs/Wasser
Schwindend	25. Dez 1999	23:23	Löwe/Feuer
Letztes Viertel	29. Dez 1999	14:05	Waage/Luft

Phase	Datum	WEZ	Zeichen/Element
Balsamisch	2. Jan 2000	14:26	Skorpion/Wasser
Schwarzmond	6. Jan 2000	18:12	Steinbock/Erde
Sichelförmig	10. Jan 2000	19:20	Fische/Wasser
Erstes Viertel	14. Jan 2000	13:32	Widder/Feuer
Bucklig	17. Jan 2000	23:16	Zwillinge/Luft
Vollmond	21. Jan 2000	04:40	Löwe/Feuer
Schwindend	24. Jan 2000	13:25	Jungfrau/Erde
Letztes Viertel	28. Jan 2000	07:56	Skorpion/Wasser
Balsamisch	1. Feb 2000	10:48	Schützte/Feuer
Schwarzmond	5. Feb 2000	13:02	Wassermann/Luft
Sichelförmig	9. Feb 2000	09:17	Widder/Feuer
Erstes Viertel	12. Feb 2000	23:20	Stier/Erde
Bucklig	16. Feb 2000	08:31	Krebs/Wasser
Vollmond	19. Feb 2000	16:26	Jungfrau/Erde
Schwindend	23. Feb 2000	05:19	Waage/Luft
Letztes Viertel	27. Feb 2000	03:53	Schütze/Feuer
Balsamisch	2. März 2000	07:17	Steinbock/Erde
Schwarzmond	6. März 2000	05:16	Fische/Wasser
Sichelförmig	9. März 2000	19:55	Stier/Erde
Erstes Viertel	13. März 2000	06:58	Zwillinge/Luft
Bucklig	16. März 2000	17:06	Löwe/Feuer
Vollmond	20. März 2000	04:44	Jungfrau/Erde
Schwindend	23. März 2000	22:30	Skorpion/Wasser
Letztes Viertel	28. März 2000	00:20	Steinbock/Erde
Balsamisch	1. April 2000	01:46	Wassermann/Luft
Schwarzmond	4. April 2000	18:11	Widder/Feuer
Sichelförmig	8. April 2000	04:02	Zwillinge/Luft
Erstes Viertel	11. April 2000	13:30	Krebs/Wassermann
Bucklig	15. April 2000	01:37	Jungfrau/Erde
Vollmond	18. April 2000	17:41	Waage/Luft
Schwindend	22. April 2000	16:16	Schütze/Feuer
Letztes Viertel	26. April 2000	19:29	Wassermann/Luft
Balsamisch	30. April 2000	17:02	Fische/Wasser
Schwarzmond	4. Mai 2000	04:11	Stier/Erde
Sichelförmig	7. Mai 2000	10:47	Krebs/Wasser
Erstes Viertel	10. Mai 2000	20:00	Löwe/Feuer
Bucklig	14. Mai 2000	10:53	Waage/Luft
Vollmond	18. Mai 2000	07:34	Skorpion/Wasser
Schwindend	22. Mai 2000	09:43	Steinbock/Erde
Letztes Viertel	26. Mai 2000	11:53	Fische/Wasser
Balsamisch	30. Mai 2000	04:54	Widder/Feuer
Schwarzmond	2. Juni 2000	12:13	Zwillinge/Luft
Sichelförmig	5. Juni 2000	17:17	Löwe/Feuer
Erstes Viertel	9. Juni 2000	03:29	Jungfrau/Erde
Bucklig	12. Juni 2000	21:44	Skorpion/Wasser
Vollmond	16. Juni 2000	22:26	Schütze/Feuer
Schwindend	21. Juni 2000	01:48	Wassermann/Luft
Letztes Viertel	25. Juni 2000	00:58	Widder/Feuer
Balsamisch	28. Juni 2000	14:01	Stier/Erde

Phase	Datum	WEZ	Zeichen/Element
Schwarzmond	1. Juli 2000	19:19	Krebs/Wasser
Sichelförmig	5. Juli 2000	00:30	Löwe/Feuer
Erstes Viertel	8. Juli 2000	12:53	Waage/Luft
Bucklig	12. Juli 2000	10:49	Schütze/Feuer
Vollmond	16. Juli 2000	13:54	Steinbock/Erde
Schwindend	20. Juli 2000	15:44	Fische/Wasser
Letztes Viertel	24. Juli 2000	11:00	Stier/Erde
Balsamisch	27. Juli 2000	21:26	Zwillinge/Luft
Schwarzmond	31. Juli 2000	02:24	Löwe/Feuer
Sichelförmig	3. Aug 2000	09:15	Jungfrau/Erde
Erstes Viertel	7. Aug 2000	01:02	Skorpion/Wasser
Bucklig	11. Aug 2000	02:17	Steinbock/Erde
Vollmond	15. Aug 2000	05:12	Wassermann/Luft
Schwindend	19. Aug 2000	03:16	Widder/Feuer
Letztes Viertel	22. Aug 2000	18:50	Stier/Erde
Balsamisch	26. Aug 2000	04:04	Krebs/Wasser
Schwarzmond	29 Aug 2000	10:19	Jungfrau/Erde
Sichelförmig	1. Sept 2000	20:23	Waage/Luft
Erstes Viertel	5. Sept 2000	16:27	Schütze/Feuer
Bucklig	9. Sept 2000	19:36	Wassermann/Luft
Vollmond	13. Sept 2000	19:35	Fische/Wasser
Schwindend	17. Sept 2000	12:52	Stier/Erde
Letztes Viertel	21. Sept 2000	01:27	Zwillinge/Luft
Balsamisch	24. Sept 2000	10:51	Löwe/Feuer
Schwarzmond	27. Sept 2000	19:53	Waage/Luft
Sichelförmig	1. Okt 2000	10:38	Skorpion/Wasser
Erstes Viertel	5. Okt 2000	10:58	Steinbock/Erde
Bucklig	9. Okt 2000	13.38	Fische/Wasser
Vollmond	13. Okt 2000	08:51	Widder/Feuer
Schwindend	16. Okt 2000	21:25	Zwillinge/Luft
Letztes Viertel	20. Okt 2000	07:58	Krebs/Wasser
Balsamisch	23. Okt 2000	18:43	Jungfrau/Erde
Schwarzmond	27. Okt 2000	07:58	Skorpion/Wasser
Sichelförmig	31. Okt 2000	04:14	Schütze/Feuer
Erstes Viertel	4. Nov 2000	07:26	Wassermann/Luft
Bucklig	8. Nov 2000	07:14	Widder/Feuer
Vollmond	11. Nov 2000	21:13	Stier/Erde
Schwindend	15. Nov 2000	05:53	Krebs/Wasser
Letztes Viertel	18. Nov 2000	15:24	Löwe/Feuer
Balsamisch	22. Nov 2000	04:39	Waage/Luft
Schwarzmond	25. Nov 2000	23:11	Schütze/Feuer
Sichelförmig	30. Nov 2000	00:24	Steinbock/Erde
Erstes Viertel	4. Dez 2000	03:54	Fische/Wasser
Bucklig	7. Dez 2000	23:29	Stier/Erde
Vollmond	11. Dez 2000	09:02	Zwillinge/Luft
Schwindend	14. Dez 2000	15:02	Löwe/Feuer
Letztes Viertel	18. Dez 2000	00:42	Jungfrau/Erde
Balsamisch	21. Dez 2000	17:34	Skorpion/Wasser
Schwarzmond	25. Dez 2000	17:21	Steinbock/Erde
Sichelförmig	29. Dez 2000	21:12	Wassermann/Luft

Phase	Datum	WEZ	Zeichen/Element
Erstes Viertel	2. Jan 2001	22:29	Widder/Feuer
Bucklig	6. Jan 2001	13:56	Zwillinge/Luft
Vollmond	9. Jan 2001	20:23	Krebs/Wasser
Schwindend	13. Jan 2001	01:16	Jungfrau/Erde
Letztes Viertel	16. Jan 2001	12:35	Waage/Luft
Balsamisch	20. Jan 2001	09:48	Schütze/ Feuer
Schwarzmond	24. Jan 2001	13:06	Wassermann/Luft
Sichelförmig	28. Jan 2001	16:21	Fische/Wasser
Erstes Viertel	1. Feb 2001	14:00	Stier/Erde
Bucklig	5. Feb 2001	02:11	Krebs/Wasser
Vollmond	8. Feb 2001	07:11	Löwe/Feuer
Schwindend	11. Feb 2001	12:48	Waage/Luft
Letztes Viertel	15. Feb 2001	03:24	Skorpion/Wasser
Balsamisch	19. Feb 2001	04:31	Steinbock/Erde
Schwarzmond	23. Feb 2001	08:20	Fische/Wasser
Sichelförmig	27. Feb 2001	08:19	Widder/Feuer
Erstes Viertel	3. März 2001	02:01	Zwillinge/Luft
Bucklig	6. März 2001	12:04	Löwe/Feuer
Vollmond	9. März 2001	17:22	Jungfrau/Erde
Schwindend	13. März 2001	01:48	Skorpion/Wasser
Letztes Viertel	16. März 2001	20:45	Schütze/Feuer
Balsamisch	21. März 2001	00:01	Wassermann/Luft
Schwarzmond	25. März 2001	01:19	Widder/Feuer
Sichelförmig	28. März 2001	20:42	Stier/Erde
Erstes Viertel	1. April 2001	10:48	Krebs/Wasser
Bucklig	4. April 2001	19:56	Jungfrau/Erde
Vollmond	8. April 2001	03:22	Waage/Luft
Schwindend	11. April 2001	16:19	Schütze/Feuer
Letztes Viertel	15. April 2001	15:31	Steinbock/Erde
Balsamisch	19. April 2001	18:26	Fische/Wasser
Schwarzmond	23. April 2001	15:24	Stier/Erde
Sichelförmig	27. April 2001	05:58	Zwillinge/Luft
Erstes Viertel	30. April 2001	17:07	Löwe/Feuer
Bucklig	4. Mai 2001	02:38	Jungfrau/Erde
Vollmond	7. Mai 2001	13:53	Skorpion/Wasser
Schwindend	11. Mai 2001	08:11	Steinbock/Erde
Letztes Viertel	15. Mai 2001	10:10	Wassermann/Luft
Balsamisch	19. Mai 2001	10:39	Widder/Feuer
Schwarzmond	23. Mai 2001	02:45	Zwillinge/Luft
Sichelförmig	26. Mai 2001	12:58	Krebs/Wasser
Erstes Viertel	29. Mai 2001	22:09	Jungfrau/Erde
Bucklig	2. Juni 2001	09:29	Waage/Luft
Vollmond	6. Juni 2001	01:39	Schütze/Feuer
Schwindend	10. Juni 2001	00:47	Wassermann/Luft
Letztes Viertel	14. Juni 2001	03:27	Fische/Wasser
Balsamisch	18. Juni 2001	00:23	Stier/Erde
Schwarzmond	21. Juni 2001	11:56	Krebs/Wasser
Sichelförmig	24. Juni 2001	18:45	Löwe/Feuer
Erstes Viertel	28. Juni 2001	03:19	Waage/Luft

Phase	Datum	WEZ	Zeichen/Element
Bucklig	1. Juli 2001	17:49	Skorpion/Wasser
Vollmond	5. Juli 2001	15:03	Steinbock/Erde
Schwindend	9. Juli 2001	17:14	Fische/Wasser
Letztes Viertel	13. Juli 2001	18:44	Widder/Feuer
Balsamisch	17. Juli 2001	11:53	Zwillinge/Luft
Schwarzmond	20. Juli 2001	19:43	Krebs/Wasser
Sichelförmig	24. Juli 2001	00:31	Jungfrau/Erde
Erstes Viertel	27. Juli 2001	10:08	Skorpion/Wasser
Bucklig	31. Juli 2001	04:43	Schütze/Feuer
Vollmond	4. Aug 2001	05:55	Wassermann/Luft
Schwindend	8. Aug 2001	08:49	Widder/Feuer
Letztes Viertel	12. Aug 2001	07:51	Stier/Erde
Balsamisch	15. Aug 2001	21:33	Krebs/Wasser
Schwarzmond	19. Aug 2001	02:54	Löwe/Feuer
Sichelförmig	22. Aug 2001	07:30	Waage/Luft
Erstes Viertel	25. Aug 2001	19:55	Schütze/Feuer
Bucklig	29. Aug 2001	18:38	Steinbock/Erde
Vollmond	2. Sept 2001	21:42	Fische/Wasser
Schwindend	6. Sept 2001	23:07	Widder/Feuer
Letztes Viertel	10. Sept 2001	18:58	Zwillinge/Luft
Balsamisch	14. Sept 2001	05:54	Löwe/Feuer
Schwarzmond	17. Sept 2001	10:27	Jungfrau/Erde
Sichelförmig	20. Sept 2001	16:58	Skorpion/Wasser
Erstes Viertel	24. Sept 2001	09:31	Steinbock/Erde
Bucklig	28. Sept 2001	11:21	Wassermann/Luft
Vollmond	2. Okt 2001	13:47	Widder/Feuer
Schwindend	6. Okt 2001	11:59	Stier/Erde
Letztes Viertel	10. Okt 2001	04:18	Krebs/Wasser
Balsamisch	13. Okt 2001	13:33	Jungfrau/Erde
Schwarzmond	16. Okt 2001	19:23	Waage/Luft
Sichelförmig	20. Okt 2001	05:53	Schütze/Feuer
Erstes Viertel	24. Okt 2001	02:58	Wassermann/Luft
Bucklig	28. Okt 2001	06:03	Fische/Wasser
Vollmond	1. Nov 2001	05:40	Stiér/Erde
Schwindend	4. Nov 2001	23:26	Zwillinge/Luft
Letztes Viertel	8. Nov 2001	12:20	Löwe/Feuer
Balsamisch	11. Nov 2001	21:25	Waage/Luft
Schwarzmond	15. Nov 2001	06:39	Skorpion/Wasser
Sichelförmig	18. Nov 2001	22:30	Steinbock/Erde
Erstes Viertel	22. Nov 2001	23:20	Fische/Wasser
Bucklig	27. Nov 2001	01:31	Widder/Feuer
Vollmond	30. Nov 2001	20:47	Zwillinge/Luft
Schwindend	4. Dez 2001	09:38	Krebs/Wasser
Letztes Viertel	7. Dez 2001	19:51	Jungfrau/Erde
Balsamisch	11. Dez 2001	06:31	Skorpion/Wasser
Schwarzmond	14. Dez 2001	20:47	Schütze/Feuer
Sichelförmig	18. Dez 2001	18:00	Wassermann/Luft
Erstes Viertel	22. Dez 2001	20:55	Widder/Feuer
Bucklig	26. Dez 2001	20:27	Stier/Erde
Vollmond	30. Dez 2001	10:39	Krebs/Wasser

Phase	Datum	WEZ	Zeichen/Element
Schwindend	2. Jan 2002	18:58	Löwe/Feuer
Letztes Viertel	6. Jan 2002	03:54	Waage/Luft
Balsamisch	9. Jan 2002	17:44	Schütze/Feuer
Schwarzmond	13. Jan 2002	13:28	Steinbock/Erde
Sichelförmig	17. Jan 2002	14:46	Fische/Wasser
Erstes Viertel	21. Jan 2002	17:45	Stier/Erde
Bucklig	25. Jan 2002	13:27	Zwillinge/Luft
Vollmond	28. Jan 2002	22:49	Löwe/Feuer
Schwindend	1. Feb 2002	04:03	Jungfrau/Erde
Letztes Viertel	4. Feb 2002	13:33	Skorpion/Wasser
Balsamisch	8. Feb 2002	07:26	Steinbock/Erde
Schwarzmond	12. Feb 2002	07:40	Wassermann/Luft
Sichelförmig	16. Feb 2002	10:53	Widder/Feuer
Erstes Viertel	20. Feb 2002	11:59	Zwillinge/Luft
Bucklig	24. Feb 2002	03:28	Krebs/Wasser
Vollmond	27. Feb 2002	09:15	Jungfrau/Erde
Schwindend	2. März 2002	13:36	Waage/Luft
Letztes Viertel	6. März 2002	01:25	Schütze/Feuer
Balsamisch	9. März 2002	23:15	Wassermann/Luft
Schwarzmond	14. März 2002	02:01	Fische/Wasser
Sichelförmig	18. März 2002	04:44	Stier/Erde
Erstes Viertel	22. März 2002	02:26	Krebs/Wasser
Bucklig	25. März 2002	14:06	Löwe/Feuer
Vollmond	28. März 2002	18:24	Waage/Luft
Schwindend	1. April 2002	00:11	Skorpion/Wasser
Letztes Viertel	4. April 2002	15:29	Steinbock/Erde
Balsamisch	8. April 2002	16:19	Fische/Wasser
Schwarzmond	12. April 2002	19:20	Widder/Feuer
Sichelförmig	16. April 2002	19:18	Zwillinge/Luft
Erstes Viertel	20. April 2002	12:46	Löwe/Feuer
Bucklig	23. April 2002	21:56	Jungfrau/Erde
Vollmond	27. April 2002	02:59	Skorpion/Wasser
Schwindend	30. April 2002	12:06	Schütze/Feuer
Letztes Viertel	4. Mai 2002	07:15	Wassermann/Luft
Balsamisch	8. Mai 2002	09:39	Widder/Feuer
Schwarzmond	12. Mai 2002	10:43	Stier/Erde
Sichelförmig	16. Mai 2002	06:17	Krebs/Wasser
Erstes Viertel	19. Mai 2002	19:41	Löwe/Feuer
Bucklig	23. Mai 2002	04:04	Waage/Luft
Vollmond	26. Mai 2002	11:51	Schütze/Feuer
Schwindend	30. Mai 2002	01:24	Steinbock/Erde
Letztes Viertel	3. Juni 2002	00:04	Fische/Wasser
Balsamisch	7. Juni 2002	02:26	Stier/Erde
Schwarzmond	10. Juni 2002	23:45	Zwillinge/Luft
Sichelförmig	14. Juni 2002	14:10	Löwe/Feuer
Erstes Viertel	18. Juni 2002	00:28	Jungfrau/Erde
Bucklig	21. Juni 2002	09:51	Skorpion/Wasser
Vollmond	24. Juni 2002	21:42	Steinbock/Erde
Schwindend	28. Juni 2002	15:59	Wassermann/Luft

Phase	Datum	WEZ	Zeichen/Element
Letztes Viertel	2. Juli 2002	17:18	Widder/Feuer
Balsamisch	6. Juli 2002	18:01	Stier/Erde
Schwarzmond	10. Juli 2002	10:24	Krebs/Wasser
Sichelförmig	13. Juli 2002	20:04	Jungfrau/Erde
Erstes Viertel	17. Juli 2002	04:46	Waage/Luft
Bucklig	20. Juli 2002	16:34	Schütze/Feuer
Vollmond	24. Juli 2002	09:07	Wassermann/Luft
Schwindend	28. Juli 2002	07:43	Fische/Wasser
Letztes Viertel	1. Aug 2002	10:20	Stier/Erde
Balsamisch	5. Aug 2002	07:53	Zwillinge/Luft
Schwarzmond	8. Aug 2002	19:14	Löwe/Feuer
Sichelförmig	12. Aug 2002	01:26	Waage/Luft
Erstes Viertel	15. Aug 2002	10:12	Skorpion/Wasser
Bucklig	19. Aug 2002	01:24	Steinbock/Erde
Vollmond	22. Aug 2002	22:29	Wassermann/Luft
Schwindend	27. Aug 2002	00:20	Widder/Feuer
Letztes Viertel	31. Aug 2002	02:29	Zwillinge/Luft
Balsamisch	3. Sept 2002	19:56	Krebs/Wasser
Schwarzmond	7. Sept 2002	03:09	Jungfrau/Erde
Sichelförmig	10. Sept 2002	07:45	Skorpion/Wasser
Erstes Viertel	13. Sept 2002	18:07	Schütze/Feuer
Bucklig	17. Sept 2002	13:08	Wassermann/Luft
Vollmond	21. Sept 2002	13:58	Fische/Wasser
Schwindend	25. Sept 2002	17:14	Stier/Erde
Letztes Viertel	29. Sept 2002	17:01	Krebs/Wasser
Balsamisch	3. Okt 2002	06:24	Löwe/Feuer
Schwarzmond	6. Okt 2002	11:17	Waage/Luft
Sichelförmig	9. Okt 2002	16:20	Schütze/Feuer
Erstes Viertel	13. Okt 2002	05:32	Steinbock/Erde
Bucklig	17. Okt 2002	04:15	Fische/Wasser
Vollmond	21. Okt 2002	07:19	Widder/Feuer
Schwindend	25. Okt 2002	09:29	Zwillinge/Luft
Letztes Viertel	29. Okt 2002	05:26	Löwe/Feuer
Balsamisch	1. Nov 2002	15:49	Jungfrau/Erde
Schwarzmond	4. Nov 2002	20:34	Skorpion/Wasser
Sichelförmig	8. Nov 2002	03:57	Steinbock/Erde
Erstes Viertel	11. Nov 2002	20:52	Wassermann/Luft
Bucklig	15. Nov 2002	22:36	Widder/Feuer
Vollmond	20. Nov 2002	01:32	Stier/Erde
Schwindend	24. Nov 2002	00:00	Krebs/Wasser
Letztes Viertel	27. Nov 2002	15:45	Jungfrau/Erde
Balsamisch	1. Dez 2002	00:52	Waage/Luft
Schwarzmond	4. Dez 2002	07:34	Schütze/Feuer
Sichelförmig	7. Dez 2002	18:46	Wassermann/Luft
Erstes Viertel	11. Dez 2002	15:48	Fische/Wasser
Bucklig	15. Dez 2002	19:08	Stier/Erde
Vollmond	19. Dez 2002	19:09	Zwillinge/Luft
Schwindend	23. Dez 2002	12:16	Löwe/Feuer
Letztes Viertel	27. Dez 2002	00:30	Waage/Luft
Balsamisch	30. Dez 2002	10:09	Skorpion/Wasser

Phase	Datum	WEZ	Zeichen/Element
Schwarzmond	2. Jan 2003	20:23	Steinbock/Erde
Sichelförmig	6. Jan 2003	12:23	Fische/Wasser
Erstes Viertel	10. Jan 2003	13:14	Widder/Feuer
Bucklig	14. Jan 2003	15:54	Zwillinge/Luft
Vollmond	18. Jan 2003	10:45	Krebs/Wasser
Schwindend	21. Jan 2003	22:29	Jungfrau/Erde
Letztes Viertel	25. Jan 2003	08:32	Skorpion/Wasser
Balsamisch	28. Jan 2003	20:06	Schütze/Feuer
Schwarzmond	1. Feb 2003	10:48	Wassermann/Luft
Sichelförmig	5. Feb 2003	07:53	Widder/Feuer
Erstes Viertel	9. Feb 2003	11:09	Stier/Erde
Bucklig	13. Feb 2003	10:42	Krebs/Wasser
Vollmond	16. Feb 2003	23:49	Löwe/Feuer
Schwindend	20. Feb 2003	07:24	Waage/Luft
Letztes Viertel	23. Feb 2003	16:45	Schütze/Feuer
Balsamisch	27. Feb 2003	07:04	Steinbock/Erde
Schwarzmond	3. März 2003	02:34	Fische/Wasser
Sichelförmig	7. März 2003	03:57	Stier/Erde
Erstes Viertel	11. März 2003	07:13	Zwillinge/Luft
Bucklig	15. März 2003	02:08	Löwe/Feuer
Vollmond	18. März 2003	10:33	Jungfrau/Erde
Schwindend	21. März 2003	15:51	Skorpion/Wasser
Letztes Viertel	25. März 2003	01:51	Steinbock/Erde
Balsamisch	28. März 2003	19:26	Wassermann/Luft
Schwarzmond	1. April 2003	19:17	Widder/Feuer
Sichelförmig	5. April 2003	22:52	Zwillinge/Luft
Erstes Viertel	9. April 2003	23:37	Krebs/Wasser
Bucklig	13. April 2003	13:59	Jungfrau/Erde
Vollmond	16. April 2003	19:34	Waage/Luft
Schwindend	20. April 2003	00:29	Schütze/Feuer
Letztes Viertel	23. April 2003	12:19	Wassermann/Luft
Balsamisch	27. April 2003	09:25	Fische/Wasser
Schwarzmond	1. Mai 2003	12:13	Stier/Erde
Sichelförmig	5. Mai 2003	15:06	Zwillinge/Luft
Erstes Viertel	9. Mai 2003	11:50	Löwe/Feuer
Bucklig	12. Mai 2003	22:51	Waage/Luft
Vollmond	16. Mai 2003	03:35	Skorpion/Wasser
Schwindend	19. Mai 2003	09:46	Steinbock/Erde
Letztes Viertel	23. Mai 2003	00:31	Fische/Wasser
Balsamisch	27. Mai 2003	00:55	Widder/Feuer
Schwarzmond	31. Mai 2003	04:18	Zwillinge/Luft
Sichelförmig	4. Juni 2003	03:53	Krebs/Wasser
Erstes Viertel	7. Juni 2003	20:26	Jungfrau/Erde
Bucklig	11. Juni 2003	05:40	Skorpion/Wasser
Vollmond	14. Juni 2003	11:15	Schütze/Feuer
Schwindend	17. Juni 2003	20:10	Wassermann/Luft
Letztes Viertel	21. Juni 2003	14:44	Fische/Wasser
Balsamisch	25. Juni 2003	17:23	Stier/Erde
Schwarzmond	29. Juni 2003	18:37	Krebs/Wasser

Phase	Datum	WEZ	Zeichen/Element
Sichelförmig	3. Juli 2003	13:25	Löwe/Feuer
Erstes Viertel	7. Juli 2003	02:31	Waage/Luft
Bucklig	10. Juli 2003	11:26	Schütze/Feuer
Vollmond	13. Juli 2003	19:21	Steinbock/Erde
Schwindend	17. Juli 2003	08:20	Fische/Wasser
Letztes Viertel	21. Juli 2003	07:00	Widder/Feuer
Balsamisch	25. Juli 2003	09:55	Zwillinge/Luft
Schwarzmond	29. Juli 2003	06:51	Löwe/Feuer
Sichelförmig	1. Aug 2003	20:44	Jungfrau/Erde
Erstes Viertel	5. Aug 2003	07:26	Skorpion/Wasser
Bucklig	8. Aug 2003	17:18	Steinbock/Erde
Vollmond	12. Aug 2003	04:48	Wassermann/Luft
Schwindend	15. Aug 2003	22:48	Widder/Feuer
Letztes Viertel	20. Aug 2003	00:47	Stier/Erde
Balsamisch	24. Aug 2003	01:38	Krebs/Wasser
Schwarzmond	27. Aug 2003	17:25	Jungfrau/Erde
Sichelförmig	31. Aug 2003	03:07	Waage/Luft
Erstes Viertel	3. Sept 2003	12:33	Schütze/Feuer
Bucklig	7. Sept 2003	00:28	Steinbock/Erde
Vollmond	10. Sept 2003	16:36	Fische/Wasser
Schwindend	14. Sept 2003	15:41	Stier/Erde
Letztes Viertel	18. Sept 2003	19:01	Zwillinge/Luft
Balsamisch	22. Sept 2003	16:09	Löwe/Feuer
Schwarzmond	26. Sept 2003	03:07	Waage/Luft
Sichelförmig	29. Sept 2003	09:52	Skorpion/Wasser
Erstes Viertel	2. Okt 2003	19:09	Steinbock/Erde
Bucklig	6. Okt 2003	10:09	Wassermann/Luft
Vollmond	10. Okt 2003	07:27	Widder/Feuer
Schwindend	14. Okt 2003	10:15	Zwillinge/Luft
Letztes Viertel	18. Okt 2003	12:29	Krebs/Wasser
Balsamisch	22. Okt 2003	05:24	Jungfrau/Erde
Schwarzmond	25. Okt 2003	12:49	Skorpion/Wasser
Sichelförmig	28. Okt 2003	18:00	Schütze/Feuer
Erstes Viertel	1. Nov 2003	04:24	Wassermann/Luft
Bucklig	4. Nov 2003	23:27	Fische/Wasser
Vollmond	9. Nov 2003	01:12	Stier/Erde
Schwindend	13. Nov 2003	05:00	Krebs/Wasser
Letztes Viertel	17. Nov 2003	04:13	Löwe/Feuer
Balsamisch	20. Nov 2003	17:31	Waage/Luft
Schwarzmond	23. Nov 2003	22:58	Schütze/Feuer
Sichelförmig	27. Nov 2003	04:13	Steinbock/Erde
Erstes Viertel	30. Nov 2003	17:15	Fische/Wasser
Bucklig	4. Dez 2003	16:39	Widder/Feuer
Vollmond	8. Dez 2003	20:36	Zwillinge/Luft
Schwindend	12. Dez 2003	22:18	Löwe/Feuer
Letztes Viertel	16. Dez 2003	17:41	Jungfrau/Erde
Balsamisch	20. Dez 2003	04:32	Skorpion/Wasser
Schwarzmond	23. Dez 2003	09:43	Steinbock/Erde
Sichelförmig	26. Dez 2003	16:54	Wassermann/Luft
Erstes Viertel	30. Dez 2003	10:04	Widder/Feuer

Phase	Datum	WEZ	Zeichen/Element
Bucklig	3. Jan 2004	12:49	Stier/Erde
Vollmond	7. Jan 2004	15:39	Krebs/Wasser
Schwindend	11. Jan 2004	13:05	Jungfrau/Erde
Letztes Viertel	15. Jan 2004	04:45	Waage/Luft
Balsamisch	18. Jan 2004	14:25	Schütze/Feuer
Schwarzmond	21. Jan 2004	21:05	Wassermann/Luft
Sichelförmig	25. Jan 2004	08:13	Fische/Wasser
Erstes Viertel	29. Jan 2004	06:02	Stier/Erde
Bucklig	2. Feb 2004	09:47	Zwillinge/Luft
Vollmond	6. Feb 2004	08:46	Löwe/Feuer
Schwindend	10. Feb 2004	01:10	Waage/Luft
Letztes Viertel	13. Feb 2004	13:38	Skorpion/Wasser
Balsamisch	16. Feb 2004	23:21	Steinbock/Erde
Schwarzmond	20. Feb 2004	09:18	Fische/Wasser
Sichelförmig	24. Feb 2004	01:47	Widder/Feuer
Erstes Viertel	28. Feb 2004	03:23	Zwillinge/Luft
Bucklig	3. März 2004	05:23	Krebs/Wasser
Vollmond	6. März 2004	23:12	Jungfrau/Erde
Schwindend	10. März 2004	10:53	Skorpion/Wasser
Letztes Viertel	13. März 2004	21:00	Schütze/Feuer
Balsamisch	17. März 2004	08:02	Wassermann/Luft
Schwarzmond	20. März 2004	22:41	Widder/Feuer
Sichelförmig	24. März 2004	20:35	Stier/Erde
Erstes Viertel	28. März 2004	23:46	Krebs/Wasser
Bucklig	1. April 2004	22:10	Löwe/Feuer
Vollmond	5. April 2004	11:01	Waage/Luft
Schwindend	8. April 2004	18:51	Schütze/Feuer
Letztes Viertel	12. April 2004	03:46	Steinbock/Erde
Balsamisch	15. April 2004	17:25	Fische/Wasser
Schwarzmond	19. April 2004	13:21	Widder/Feuer
Sichelförmig	23. April 2004	15:09	Zwillinge/Luft
Erstes Viertel	27. April 2004	17:31	Löwe/Feuer
Bucklig	1. Mai 2004	11:47	Jungfrau/Erde
Vollmond	4. Mai 2004	20:32	Skorpion/Wasser
Schwindend	8. Mai 2003	01:50	Steinbock/Erde
Letztes Viertel	11. Mai 2004	11:04	Wassermann/Luft
Balsamisch	15. Mai 2004	04:27	Widder/Feuer
Schwarzmond	19. Mai 2004	04:51	Stier/Erde
Sichelförmig	23. Mai 2004	08:03	Krebs/Wasser
Erstes Viertel	27. Mai 2004	07:55	Jungfrau/Erde
Bucklig	30. Mai 2004	22:25	Waage/Luft
Vollmond	3. Juni 2004	04:18	Schütze/Feuer
Schwindend	6. Juni 2004	08:45	Wassermann/Luft
Letztes Viertel	9. Juni 2004	20:02	Fische/Wasser
Balsamisch	13. Juni 2004	17:30	Stier/Erde
Schwarzmond	17. Juni 2004	20:26	Zwillinge/Luft
Sichelförmig	21. Juni 2004	22:31	Löwe/Feuer
Erstes Viertel	25. Juni 2004	19:06	Waage/Luft
Bucklig	29. Juni 2004	06:35	Skorpion/Wasser

Phase	Datum	WEZ	Zeichen/Element
Vollmond	2. Juli 2004	11:08	Steinbock/Erde
Schwindend	5. Juli 2004	16:42	Wassermann/Luft
Letztes Viertel	9. Juli 2004	07:33	Widder/Feuer
Balsamisch	13. Juli 2004	08:28	Zwillinge/Luft
Schwarzmond	17. Juli 2004	11:22	Krebs/Wasser
Sichelförmig	21. Juli 2004	10:31	Jungfrau/Erde
Erstes Viertel	25. Juli 2004	03:36	Skorpion/Wasser
Bucklig	28. Juli 2004	13:02	Schütze/Feuer
Vollmond	31. Juli 2004	18:04	Wassermann/Luft
Schwindend	4. Aug 2004	02:48	Fische/Wasser
Letztes Viertel	7. Aug 2004	22:01	Stier/Erde
Balsamisch	12. Aug 2004	00:44	Krebs/Wasser
Schwarzmond	16. Aug 2004	01:22	Löwe/Feuer
Sichelförmig	19. Aug 2004	20:27	Waage/Luft
Erstes Viertel	23. Aug 2004	10:10	Schütze/Feuer
Bucklig	26. Aug 2004	18:52	Steinbock/Erde
Vollmond	30. Aug 2004	02:22	Fische/Wasser
Schwindend	2. Sept 2004	15:51	Widder/Feuer
Letztes Viertel	6. Sept 2004	15:10	Zwillinge/Luft
Balsamisch	10. Sept 2004	17:41	Löwe/Feuer
Schwarzmond	14. Sept 2004	14:27	Jungfrau/Erde
Sichelförmig	18. Sept 2004	04:59	Skorpion/Wasser
Erstes Viertel	21. Sept 2004	15:53	Schütze/Feuer
Bucklig	25. Sept 2004	01:23	Wassermann/Luft
Vollmond	28. Sept 2004	13:10	Widder/Feuer
Schwindend	2. Okt 2004	08:05	Stier/Erde
Letztes Viertel	6. Okt 2004	10:11	Krebs/Wasser
Balsamisch	10. Okt 2004	10:39	Jungfrau/Erde
Schwarzmond	14. Okt 2004	02:46	Waage/Luft
Sichelförmig	17. Okt 2004	12:50	Schütze/Feuer
Erstes Viertel	20. Okt 2004	21:58	Steinbock/Erde
Bucklig	24. Okt 2004	09:57	Fische/Wasser
Vollmond	28. Okt 2004	03:07	Stier/Erde
Schwindend	1. Nov 2004	02:51	Zwillinge/Luft
Letztes Viertel	5. Nov 2004	05:53	Löwe/Feuer
Balsamisch	9. Nov 2004	03:04	Waage/Luft
Schwarzmond	12. Nov 2004	14:26	Skorpion/Wasser
Sichelförmig	15. Nov 2004	20:53	Steinbock/Erde
Erstes Viertel	19. Nov 2004	05:50	Wassermann/Luft
Bucklig	22. Nov 2004	21:41	Widder/Feuer
Vollmond	26. Nov 2004	20:07	Zwillinge/Luft
Schwindend	30. Nov 2004	22:50	Krebs/Wasser
Letztes Viertel	5. Dez 2004	00:51	Jungfrau/Erde
Balsamisch	8. Dez 2004	18:10	Skorpion/Wasser
Schwarzmond	12. Dez 2004	01:28	Schütze/Feuer
Sichelförmig	15. Dez 2004	06:01	Wassermann/Luft
Erstes Viertel	18. Dez 2004	16:39	Fische/Wasser
Bucklig	22. Dez 2004	12:58	Stier/Erde
Vollmond	26. Dez 2004	15:06	Krebs/Wasser
Schwindend	30. Dez 2004	18:22	Löwe/Feuer

Phase	Datum	WEZ	Zeichen/Element
Letztes Viertel	3. Jan 2005	17:45	Waage/Luft
Balsamisch	7. Jan 2005	07:11	Schütze/Feuer
Schwarzmond	10. Jan 2005	12:02	Steinbock/Erde
Sichelförmig	13. Jan 2005	17:00	Fische/Wasser
Erstes Viertel	17. Jan 2005	06:57	Widder/Feuer
Bucklig	21. Jan 2005	07:07	Zwillinge/Luft
Vollmond	25. Jan 2005	10:32	Löwe/Feuer
Schwindend	29. Jan 2005	11:53	Jungfrau/Erde
Letztes Viertel	2. Feb 2005	07:26	Skorpion/Wasser
Balsamisch	5. Feb 2005	17:49	Steinbock/Erde
Schwarzmond	8. Feb 2005	22:48	Wassermann/Luft
Sichelförmig	12. Feb 2005	06:09	Widder/Feuer
Erstes Viertel	16. Feb 2005	00:16	Stier/Erde
Bucklig	20. Feb 2005	02:45	Krebs/Wasser
Vollmond	24. Feb 2005	04:53	Jungfrau/Erde
Schwindend	28. Feb 2005	02:19	Waage/Luft
Letztes Viertel	3. März 2005	17:36	Schütze/Feuer
Balsamisch	7. März 2005	02:26	Wassermann/Luft
Schwarzmond	10. März 2005	09:11	Fische/Wasser
Sichelförmig	13. März 2005	21:17	Stier/Erde
Erstes Viertel	17. März 2005	19:18	Zwillinge/Luft
Bucklig	21. März 2005	22:11	Löwe/Feuer
Vollmond	25. März 2005	20:57	Waage/Luft
Schwindend	29. März 2005	13:16	Skorpion/Wasser
Letztes Viertel	2. April 2005	00:49	Steinbock/Erde
Balsamisch	5. April 2005	09:56	Fische/Wasser
Schwarzmond	8. April 2005	20:32	Widder/Feuer
Sichelförmig	12. April 2005	13:38	Zwillinge/Luft
Erstes Viertel	16. April 2005	14:37	Krebs/Wasser
Bucklig	20. April 2005	16:05	Jungfrau/Erde
Vollmond	24. April 2005	10:05	Skorpion/Wasser
Schwindend	27. April 2005	21:14	Schütze/Feuer
Letztes Viertel	1. Mai 2005	06:23	Wassermann/Luft
Balsamisch	4. Mai 2005	17:25	Fische/Wasser
Schwarzmond	8. Mai 2005	08:45	Stier/Erde
Sichelförmig	12. Mai 2005	06:26	Krebs/Wasser
Erstes Viertel	16. Mai 2005	08:55	Löwe/Feuer
Bucklig	20. Mai 2005	07:28	Waage/Luft
Vollmond	23. Mai 2005	20:17	Schütze/Feuer
Schwindend	27. Mai 2005	03:19	Steinbock/Erde
Letztes Viertel	30. Mai 2005	11:47	Fische/Wasser
Balsamisch	3. Juni 2005	01:55	Widder/Feuer
Schwarzmond	6. Juni 2005	21:55	Zwillinge/Luft
Sichelförmig	10. Juni 2005	23:02	Löwe/Feuer
Erstes Viertel	15. Juni 2005	01:20	Jungfrau/Erde
Bucklig	18. Juni 2005	19:57	Skorpion/Wasser
Vollmond	22. Juni 2005	04:13	Steinbock/Erde
Schwindend	25. Juni 2005	08:55	Wassermann/Luft
Letztes Viertel	28. Juni 2005	18:23	Widder/Feuer

Phase	Datum	WEZ	Zeichen/Element
Balsamisch	2. Juli 2005	12:10	Stier/Erde
Schwarzmond	6. Juli 2005	12:02	Krebs/Wasser
Sichelförmig	10. Juli 2005	14:55	Jungfrau/Erde
Erstes Viertel	14. Juli 2005	15:18	Waage/Luft
Bucklig	18. Juli 2005	05:45	Schütze/Feuer
Vollmond	21. Juli 2005	11:00	Steinbock/Erde
Schwindend	24. Juli 2005	15:25	Fische/Wasser
Letztes Viertel	28. Juli 2005	03:19	Stier/Erde
Balsamisch	1. Aug 2005	00:43	Zwillinge/Luft
Schwarzmond	5. Aug 2005	03:04	Löwe/Feuer
Sichelförmig	9. Aug 2005	05:35	Waage/Luft
Erstes Viertel	13. Aug 2005	02:37	Skorpion/Wasser
Bucklig	16. Aug 2005	13:36	Steinbock/Erde
Vollmond	19. Aug 2005	17:53	Wassermann/Luft
Schwindend	23. Aug 2005	00:01	Widder/Feuer
Letztes Viertel	26. Aug 2005	15:19	Zwillinge/Luft
Balsamisch	30. Aug 2005	15:47	Krebs/Wasser
Schwarzmond	3. Sept 2005	18:45	Jungfrau/Erde
Sichelförmig	7. Sept 2005	18:36	Skorpion/Wasser
Erstes Viertel	11. Sept 2005	11:35	Schütze/Feuer
Bucklig	14. Sept 2005	20:36	Wassermann/Luft
Vollmond	18. Sept 2005	02:01	Fische/Wasser
Schwindend	21. Sept 2005	11:28	Stier/Erde
Letztes Viertel	25. Sept 2005	06:40	Krebs/Wasser
Balsamisch	29. Sept 2005	09:13	Löwe/Feuer
Schwarzmond	3. Okt 2005	10:27	Waage/Luft
Sichelförmig	7. Okt 2005	05:45	Skorpion/Wasser
Erstes Viertel	10. Okt 2005	19:00	Steinbock/Erde
Bucklig	14. Okt 2005	03:50	Fische/Wasser
Vollmond	17. Okt 2005	12:14	Widder/Feuer
Schwindend	21. Okt 2005	02:09	Zwillinge/Luft
Letztes Viertel	25. Okt 2005	01:16	Löwe/Feuer
Balsamisch	29. Okt 2005	04:12	Jungfrau/Erde
Schwarzmond	2. Nov 2005	01:23	Skorpion/Wasser
Sichelförmig	5. Nov 2005	15:21	Schütze/Feuer
Erstes Viertel	9. Nov 2005	01:56	Wassermann/Luft
Bucklig	12. Nov 2005	12:17	Widder/Feuer
Vollmond	16. Nov 2005	00:58	Stier/Erde
Schwindend	19. Nov 2005	19:53	Krebs/Wasser
Letztes Viertel	23. Nov 2005	22:10	Jungfrau/Erde
Balsamisch	27. Nov 2005	23:16	Waage/Luft
Schwarzmond	1. Dez 2005	14:59	Schütze/Feuer
Sichelförmig	5. Dez 2005	00:12	Steinbock/Erde
Erstes Viertel	8. Dez 2005	09:36	Fische/Wasser
Bucklig	11. Dez 2005	22:42	Stier/Erde
Vollmond	15. Dez 2005	16:15	Zwillinge/Luft
Schwindend	19. Dez 2005	15:57	Löwe/Feuer
Letztes Viertel	23. Dez 2005	19:35	Waage/Luft
Balsamisch	27. Dez 2005	16:49	Skorpion/Wasser
Schwarzmond	31. Dez 2005	03:10	Steinbock/Erde

Phase	Datum	WEZ	Zeichen/Element
Sichelförmig	3. Jan 2006	09:13	Wassermann/Luft
Erstes Viertel	6. Jan 2006	18:56	Widder/Feuer
Bucklig	10. Jan 2006	11:28	Zwillinge/Luft
Vollmond	14. Jan 2006	09:48	Krebs/Wasser
Schwindend	18. Jan 2006	12:50	Jungfrau/Erde
Letztes Viertel	22. Jan 2006	15:12	Skorpion/Wasser
Balsamisch	26. Jan 2006	07:42	Schütze/Feuer
Schwarzmond	29. Jan 2006	14:14	Wassermann/Luft
Sichelförmig	1. Feb 2006	19:08	Fische/Wasser
Erstes Viertel	5. Feb 2006	06:28	Stier/Erde
Bucklig	9. Feb 2006	02:41	Krebs/Wasser
Vollmond	13. Feb 2006	04:44	Löwe/Feuer
Schwindend	17. Feb 2006	08:25	Waage/Luft
Letztes Viertel	21. Feb 2006	07:16	Schütze/Feuer
Balsamisch	24. Feb 2006	19:38	Steinbock/Erde
Schwarzmond	28. Feb 2006	00:30	Fische/Wasser
Sichelförmig	3. März 2006	06:13	Widder/Feuer
Erstes Viertel	6. März 2006	20:16	Zwillinge/Luft
Bucklig	10. März 2006	19:57	Löwe/Feuer
Vollmond	14. März 2006	23:35	Jungfrau/Erde
Schwindend	19. März 2006	00:49	Skorpion/Wasser
Letztes Viertel	22. März 2006	19:00	Steinbock/Erde
Balsamisch	26. März 2006	05:00	Wassermann/Luft
Schwarzmond	29. März 2006	10:15	Widder/Feuer
Sichelförmig	1. April 2006	18:23	Stier/Erde
Erstes Viertel	5. April 2006	12:01	Krebs/Wasser
Bucklig	9. April 2006	14:18	Jungfrau/Erde
Vollmond	13. April 2006	16:39	Waage/Luft
Schwindend	17. April 2006	13:14	Schütze/Feuer
Letztes Viertel	21. April 2006	03:27	Wassermann/Luft
Balsamisch	24. April 2006	12:27	Fische/Wasser
Schwarzmond	27. April 2006	19:44	Stier/Erde
Sichelförmig	1. Mai 2006	07:36	Zwillinge/Luft
Erstes Viertel	5. Mai 2006	05:12	Löwe/Feuer
Bucklig	9. Mai 2006	08:21	Waage/Luft
Vollmond	13. Mai 2006	06:50	Skorpion/Wasser
Schwindend	16. Mai 2006	22:07	Steinbock/Erde
Letztes Viertel	20. Mai 2006	09:20	Wassermann/Luft
Balsamisch	23. Mai 2006	18:53	Widder/Feuer
Schwarzmond	27. Mai 2006	05:25	Zwillinge/Luft
Sichelförmig	30. Mai 2006	21:59	Krebs/Wasser
Erstes Viertel	3. Juni 2006	23:05	Jungfrau/Erde
Bucklig	8. Juni 2006	00:45	Skorpion/Wasser
Vollmond	11. Juni 2006	18:02	Schütze/Feuer
Schwindend	15. Juni 2006	04:38	Wassermann/Luft
Letztes Viertel	18. Juni 2006	14:08	Fische/Wasser
Balsamisch	22. Juni 2006	01:21	Stier/Erde
Schwarzmond	25. Juni 2006	16:05	Krebs/Wasser
Sichelförmig	29. Juni 2006	13:36	Löwe/Feuer

Phase	Datum	WEZ	Zeichen/Element
Erstes Viertel	3. Juli 2006	16:36	Waage/Luft
Bucklig	7. Juli 2006	14:51	Schütze/Feuer
Vollmond	11. Juli 2006	03:01	Steinbock/Erde
Schwindend	14. Juli 2006	10:14	Fische/Wasser
Letztes Viertel	17. Juli 2006	19:12	Widder/Feuer
Balsamisch	21. Juli 2006	09:01	Zwillinge/Luft
Schwarzmond	25. Juli 2006	04:31	Löwe/Feuer
Sichelförmig	29. Juli 2006	06:07	Jungfrau/Erde
Erstes Viertel	2. Aug 2006	08:44	Skorpion/Wasser
Bucklig	6. Aug 2006	02:44	Schütze/Feuer
Vollmond	9. Aug 2006	10:53	Wassermann/Luft
Schwindend	12. Aug 2006	16:11	Widder/Feuer
Letztes Viertel	16. Aug 2006	01:51	Stier/Erde
Balsamisch	19. Aug 2006	19:06	Krebs/Wasser
Schwarzmond	23. Aug 2006	19:09	Jungfrau/Erde
Sichelförmig	27. Aug 2006	22:45	Waage/Luft
Erstes Viertel	31. Aug 2006	22:54	Schütze/Feuer
Bucklig	4. Sept 2006	12:58	Steinbock/Erde
Vollmond	7. Sept 2006	18:42	Fische/Wasser
Schwindend	10. Sept 2006	23:37	Stier/Erde
Letztes Viertel	14. Sept 2006	11:16	Zwillinge/Luft
Balsamisch	18. Sept 2006	08:35	Löwe/Feuer
Schwarzmond	22. Sept 2006	11:44	Jungfrau/Erde
Sichelförmig	26. Sept 2006	14:28	Skorpion/Wasser
Erstes Viertel	30. Sept 2006	11:02	Steinbock/Erde
Bucklig	3. Okt 2006	22:16	Wassermann/Luft
Vollmond	7. Okt 2006	03:12	Widder/Feuer
Schwindend	10. Okt 2006	09:22	Zwillinge/Luft
Letztes Viertel	14. Okt 2006	00:26	Krebs/Wasser
Balsamisch	18. Okt 2006	01:37	Jungfrau/Erde
Schwarzmond	22. Okt 2006	05:13	Waage/Luft
Sichelförmig	26. Okt 2006	04:34	Schütze/Feuer
Erstes Viertel	29. Okt 2006	21:24	Wassermann/Luft
Bucklig	2. Nov 2006	07:10	Fische/Wasser
Vollmond	5. Nov 2006	12:58	Stier/Erde
Schwindend	8. Nov 2006	22:10	Krebs/Wasser
Letztes Viertel	12. Nov 2006	17:45	Löwe/Feuer
Balsamisch	16. Nov 2006	21:17	Waage/Luft
Schwarzmond	20. Nov 2006	22:17	Skorpion/Wasser
Sichelförmig	24. Nov 2006	16:51	Steinbock/Erde
Erstes Viertel	28. Nov 2006	06:28	Fische/Wasser
Bucklig	1. Dez 2006	16:02	Widder/Feuer
Vollmond	5. Dez 2006	00:25	Zwillinge/Luft
Schwindend	8. Dez 2006	14:23	Löwe/Feuer
Letztes Viertel	12. Dez 2006	14:31	Jungfrau/Erde
Balsamisch	16. Dez 2006	17:47	Skorpion/Wasser
Schwarzmond	20. Dez 2006	13:59	Schütze/Feuer
Sichelförmig	24. Dez 2006	03:37	Wassermann/Luft
Erstes Viertel	27. Dez 2006	14:47	Widder/Feuer
Bucklig	31. Dez 2006	01:22	Stier/Erde

Phase	Datum	WEZ	Zeichen/Element
Vollmond	3. Jan 2007	13:58	Krebs/Wasser
Schwindend	7. Jan 2007	09:38	Jungfrau/Erde
Letztes Viertel	11. Jan 2007	12:44	Waage/Luft
Balsamisch	15. Jan 2007	13:06	Schütze/Feuer
Schwarzmond	19. Jan 2007	03:59	Steinbock/Erde
Sichelförmig	22. Jan 2007	13:22	Fische/Wasser
Erstes Viertel	25. Jan 2007	23:01	Stier/Erde
Bucklig	29. Jan 2007	11:51	Zwillinge/Luft
Vollmond	2. Feb 2007	05:45	Löwe/Feuer
Schwindend	6. Feb 2007	06:26	Waage/Luft
Letztes Viertel	10. Feb 2007	09:50	Skorpion/Wasser
Balsamisch	14. Feb 2007	06:00	Steinbock/Erde
Schwarzmond	17. Feb 2007	16:13	Wassermann/Luft
Sichelförmig	20. Feb 2007	22:33	Widder/Feuer
Erstes Viertel	24. Feb 2007	07:56	Zwillinge/Luft
Bucklig	28. Feb 2007	00:12	Krebs/Wasser
Vollmond	3. März 2007	23:17	Jungfrau/Erde
Schwindend	8. März 2007	02:37	Skorpion/Wasser
Letztes Viertel	12. März 2007	03:53	Schütze/Feuer
Balsamisch	15. März 2007	19:50	Wassermann/Luft
Schwarzmond	19. März 2007	02:42	Fische/Wasser
Sichelförmig	22. März 2007	07:32	Stier/Erde
Erstes Viertel	25. März 2007	18:16	Krebs/Wasser
Bucklig	29. März 2007	14:39	Löwe/Feuer
Vollmond	2. April 2007	17:15	Waage/Luft
Schwindend	6. April 2007	20:12	Schütze/Feuer
Letztes Viertel	10. April 2007	18:03	Steinbock/Erde
Balsamisch	14. April 2007	06:34	Fische/Wasser
Schwarzmond	17. April 2007	11:36	Widder/Feuer
Sichelförmig	20. April 2007	16:49	Zwillinge/Luft
Erstes Viertel	24. April 2007	06:35	Löwe/Feuer
Bucklig	28. April 2007	06:46	Jungfrau/Erde
Vollmond	2. Mai 2007	10:09	Skorpion/Wasser
Schwindend	6. Mai 2007	10:20	Steinbock/Erde
Letztes Viertel	10. Mai 2007	04:26	Wassermann/Luft
Balsamisch	13. Mai 2007	14:31	Widder/Feuer
Schwarzmond	16. Mai 2007	19:27	Stier/Erde
Sichelförmig	20. Mai 2007	03:08	Krebs/Wasser
Erstes Viertel	23. Mai 2007	21:03	Jungfrau/Erde
Bucklig	27. Mai 2007	23:32	Waage/Luft
Vollmond	1. Juni 2007	01:02	Schütze/Feuer
Schwindend	4. Juni 2007	21:10	Steinbock/Erde
Letztes Viertel	8. Juni 2007	11:41	Fische/Wasser
Balsamisch	11. Juni 2007	20:34	Stier/Erde
Schwarzmond	15. Juni 2007	03:13	Zwillinge/Luft
Sichelförmig	18. Juni 2007	15:07	Löwe/Feuer
Erstes Viertel	22. Juni 2007	13:15	Waage/Luft
Bucklig	26. Juni 2007	15:59	Skorpion/Wasser
Vollmond	30. Juni 2007	13:47	Steinbock/Erde

Phase	Datum	WEZ	Zeichen/Element
Schwindend	4. Juli 2007	05:23	Wassermann/Luft
Letztes Viertel	7. Juli 2007	16:53	Widder/Feuer
Balsamisch	11. Juli 2007	01:53	Zwillinge/Luft
Schwarzmond	14. Juli 2007	12:04	Krebs/Wasser
Sichelförmig	18. Juli 2007	05:10	Jungfrau/Erde
Erstes Viertel	22. Juli 2007	06:28	Waage/Luft
Bucklig	26. Juli 2007	07:29	Schütze/Feuer
Vollmond	30. Juli 2007	00:46	Wassermann/Luft
Schwindend	2. Aug 2007	11:58	Fische/Wasser
Letztes Viertel	5. Aug 2007	21:19	Stier/Erde
Balsamisch	9. Aug 2007	08:00	Krebs/Wasser
Schwarzmond	12. Aug 2007	23:03	Löwe/Feuer
Sichelförmig	16. Aug 2007	21:12	Waage/Luft
Erstes Viertel	20. Aug 2007	23:53	Skorpion/Wasser
Bucklig	24. Aug 2007	21:52	Steinbock/Erde
Vollmond	28. Aug 2007	10:34	Fische/Wasser
Schwindend	31. Aug 2007	18:01	Widder/Feuer
Letztes Viertel	4. Sept 2007	02:33	Zwillinge/Luft
Balsamisch	7. Sept 2007	16:23	Krebs/Wasser
Schwarzmond	11. Sept 2007	12:44	Jungfrau/Erde
Sichelförmig	15. Sept 2007	14:33	Skorpion/Wasser
Erstes Viertel	19. Sept 2007	16:47	Schütze/Feuer
Bucklig	23. Sept 2007	11:08	Wassermann/Luft
Vollmond	26. Sept 2007	19:44	Widder/Feuer
Schwindend	30. Sept 2007	00:43	Stier/Erde
Letztes Viertel	3. Okt 2007	10:07	Krebs/Wasser
Balsamisch	7. Okt 2007	04:12	Löwe/Feuer
Schwarzmond	11. Okt 2007	05:00	Waage/Luft
Sichelförmig	15. Okt 2007	08:17	Schütze/Feuer
Erstes Viertel	19. Okt 2007	08:31	Steinbock/Erde
Bucklig	22. Okt 2007	23:14	Fische/Wasser
Vollmond	26. Okt 2007	04:51	Stier/Erde
Schwindend	29. Okt 2007	09:15	Zwillinge/Luft
Letztes Viertel	1. Nov 2007	21:19	Löwe/Feuer
Balsamisch	5. Nov 2007	19:48	Jungfrau/Erde
Schwarzmond	9. Nov 2007	23:03	Skorpion/Wasser
Sichelförmig	14. Nov 2007	01:24	Steinbock/Erde
Erstes Viertel	17. Nov 2007	22:31	Wassermann/Luft
Bucklig	21. Nov 2007	10:03	Widder/Feuer
Vollmond	24. Nov 2007	14:30	Zwillinge/Luft
Schwindend	27. Nov 2007	20:36	Krebs/Wasser
Letztes Viertel	1. Dez 2007	12:45	Jungfrau/Erde
Balsamisch	5. Dez 2007	14:35	Waage/Luft
Schwarzmond	9. Dez 2007	17:40	Schütze/Feuer
Sichelförmig	13. Dez 2007	17:00	Wassermann/Luft
Erstes Viertel	17. Dez 2007	10:16	Fische/Wasser
Bucklig	20. Dez 2007	19:45	Stier/Erde
Vollmond	24. Dez 2007	01:16	Krebs/Wasser
Schwindend	27. Dez 2007	11:14	Löwe/Feuer
Letztes Viertel	31. Dez 2007	07:51	Waage/Luft

Phase	Datum	WEZ	Zeichen/Element
Balsamisch	4. Jan 2008	11:06	Skorpion/Wasser
Schwarzmond	8. Jan 2008	11:36	Steinbock/Erde
Sichelförmig	12. Jan 2008	06:21	Fische/Wasser
Erstes Viertel	15. Jan 2008	19:45	Widder/Feuer
Bucklig	19. Jan 2008	04:46	Zwillinge/Luft
Vollmond	22. Jan 2008	13:35	Löwe/Feuer
Schwindend	26. Jan 2008	04:43	Jungfrau/Erde
Letztes Viertel	30. Jan 2008	05:02	Skorpion/Wasser
Balsamisch	3. Feb 2008	07:35	Schütze/Feuer
Schwarzmond	7. Feb 2008	03:43	Wassermann/Luft
Sichelförmig	10. Feb 2008	17:12	Widder/Feuer
Erstes Viertel	14. Feb 2008	03:33	Stier/Erde
Bucklig	17. Feb 2008	13:56	Krebs/Wasser
Vollmond	21. Feb 2008	03:31	Jungfrau/Erde
Schwindend	24. Feb 2008	23:50	Waage/Luft
Letztes Viertel	29. Feb 2008	02:18	Schütze/Feuer
Balsamisch	4. März 2008	02:17	Schütze/Feuer
Schwarzmond	7. März 2008	17:14	Fische/Wasser
Sichelförmig	11. März 2008	01:55	Stier/Erde
Erstes Viertel	14. März 2008	10:46	Zwillinge/Luft
Bucklig	17. März 2008	23:58	Löwe/Feuer
Vollmond	21. März 2008	18:40	Waage/Luft
Schwindend	25. März 2008	19:02	Skorpion/Wasser
Letztes Viertel	29. März 2008	21:46	Steinbock/Erde
Balsamisch	2. April 2008	18:00	Wassermann/Luft
Schwarzmond	6. April 2008	03:54	Widder/Feuer
Sichelförmig	9. April 2008	09:23	Zwillinge/Luft
Erstes Viertel	12. April 2008	18:32	Krebs/Wasser
Bucklig	16. April 2008	11:24	Jungfrau/Erde
Vollmond	20. April 2008	10:26	Skorpion/Wasser
Schwindend	24. April 2008	13:00	Schütze/Feuer
Letztes Viertel	28. April 2008	14:11	Wassermann/Luft
Balsamisch	2. Mai 2008	06:08	Fische/Wasser
Schwarzmond	5. Mai 2008	12:18	Stier/Erde
Sichelförmig	8. Mai 2008	16:39	Krebs/Wasser
Erstes Viertel	12. Mai 2008	03:48	Löwe/Feuer
Bucklig	16. Mai 2008	00:21	Waage/Luft
Vollmond	20. Mai 2008	02:11	Skorpion/Wasser
Schwindend	24. Mai 2008	04:50	Steinbock/Erde
Letztes Viertel	28. Mai 2008	02:55	Fische/Wasser
Balsamisch	31. Mai 2008	14:58	Widder/Feuer
Schwarzmond	3. Juni 2008	19:22	Zwillinge/Luft
Sichelförmig	7. Juni 2008	00:48	Löwe/Feuer
Erstes Viertel	10. Juni 2008	15:04	Jungfrau/Erde
Bucklig	14. Juni 2008	14:45	Skorpion/Wasser
Vollmond	18. Juni 2008	17:30	Schütze/Feuer
Schwindend	22. Juni 2008	18:03	Wassermann/Luft
Letztes Viertel	26. Juni 2008	12:08	Widder/Feuer
Balsamisch	29. Juni 2008	21:32	Stier/Erde
Schwarzmond	3. Juli 2008	02:19	Krebs/Wasser
Sichelförmig	6. Juli 2008	10:36	Löwe/Feuer
Erstes Viertel	10. Juli 2008	04:35	Waage/Luft
Bucklig	14. Juli 2008	06:22	Schütze/Feuer
Vollmond	18. Juli 2008	07:58	Steinbock/Erde
Schwindend	22. Juli 2008	04:34	Fische/Wasser
Letztes Viertel	25. Juli 2008	18:41	Stier/Erde
Balsamisch	29. Juli 2008	03:06	Zwillinge/Luft
Schwarzmond	1. Aug 2008	10:13	Löwe/Feuer
Sichelförmig	4. Aug 2008	22:37	Jungfrau/Erde
Erstes Viertel	8. Aug 2008	20:20	Skorpion/Wasser
Bucklig	12. Aug 2008	22:51	Steinbock/Erde
Vollmond	16. Aug 2008	21:15	Wassermann/Luft
Schwindend	20. Aug 2008	12:51	Widder/Feuer
Letztes Viertel	23. Aug 2008	23:49	Zwillinge/Luft
Balsamisch	27. Aug 2008	09:02	Krebs/Wasser
Schwarzmond	30. Aug 2008	19:58	Jungfrau/Erde
Sichelförmig	3. Sept 2008	13:07	Waage/Luft
Erstes Viertel	7. Sept 2008	14:04	Schütze/Feuer
Bucklig	11. Sept 2008	15:35	Wassermann/Luft
Vollmond	15. Sept 2008	09:12	Fische/Wasser
Schwindend	18. Sept 2008	19:52	Stier/Erde
Letztes Viertel	22. Sept 2008	05:04	Zwillinge/Luft
Balsamisch	25. Sept 2008	16:36	Löwe/Feuer
Schwarzmond	29. Sept 2008	08:12	Waage/Luft
Sichelförmig	3. Okt 2008	06:05	Skorpion/Wasser
Erstes Viertel	7. Okt 2008	09:03	Steinbock/Erde
Bucklig	11. Okt 2008	07:42	Fische/Wasser
Vollmond	14. Okt 2008	20:02	Widder/Feuer
Schwindend	18. Okt 2008	02:53	Zwillinge/Luft
Letztes Viertel	21. Okt 2008	11:55	Krebs/Wasser
Balsamisch	25. Okt 2008	02:47	Jungfrau/Erde
Schwarzmond	28. Okt 2008	23:14	Skorpion/Wasser
Sichelförmig	2. Nov 2008	01:01	Schütze/Feuer
Erstes Viertel	6. Nov 2008	04:02	Wassermann/Luft
Bucklig	9. Nov 2008	22:28	Widder/Feuer
Vollmond	13. Nov 2008	06:17	Stier/Erde
Schwindend	16. Nov 2008	11:11	Krebs/Wasser
Letztes Viertel	19. Nov 2008	21:32	Löwe/Feuer
Balsamisch	23. Nov 2008	16:13	Waage/Luft
Schwarzmond	27. Nov 2008	16:55	Schütze/Feuer
Sichelförmig	1. Dez 2008	20:41	Steinbock/Erde
Erstes Viertel	5. Dez 2008	21:24	Fische/Wasser
Bucklig	9. Dez 2008	11:28	Stier/Erde
Vollmond	12. Dez 2008	16:37	Zwillinge/Luft
Schwindend	15. Dez 2008	21:37	Löwe/Feuer
Letztes Viertel	19. Dez 2008	10:31	Jungfrau/Erde
Balsamisch	23. Dez 2008	09:00	Skorpion/Wasser
Schwarzmond	27. Dez 2008	12:22	Steinbock/Erde
Sichelförmig	31. Dez 2008	15:16	Wassermann/Luft

Phase	Datum	WEZ	Zeichen/Element
Erstes Viertel	4. Jan 2009	11:55	Widder/Feuer
Bucklig	7. Jan 2009	22:42	Zwillinge/Luft
Vollmond	11. Jan 2009	03:27	Krebs/Wasser
Schwindend	14. Jan 2009	10:26	Jungfrau/Erde
Letztes Viertel	18. Jan 2009	02:47	Waage/Luft
Balsamisch	22. Jan 2009	04:27	Schütze/Feuer
Schwarzmond	26. Jan 2009	07:55	Wassermann/Luft
Sichelförmig	30. Jan 2009	07:01	Fische/Wasser
Erstes Viertel	2. Feb 2009	23:12	Stier/Erde
Bucklig	6. Feb 2009	08:28	Krebs/Wasser
Vollmond	9. Feb 2009	14:49	Löwe/Feuer
Schwindend	13. Feb 2009	01:17	Waage/Luft
Letztes Viertel	16. Feb 2009	21:38	Skorpion/Wasser
Balsamisch	21. Feb 2009	01:00	Steinbock/Erde
Schwarzmond	25. Feb 2009	01:34	Fische/Wasser
Sichelförmig	28. Feb 2009	19:16	Widder/Feuer
Erstes Viertel	4. März 2009	07:45	Zwillinge/Luft
Bucklig	7. März 2009	17:11	Löwe/Feuer
Vollmond	11. März 2009	02:38	Jungfrau/Erde
Schwindend	14. März 2009	17:37	Skorpion/Wasser
Letztes Viertel	18. März 2009	17:47	Schütze/Feuer
Balsamisch	22. März 2009	20:35	Wassermann/Luft
Schwarzmond	26. März 2009	16:05	Widder/Feuer
Sichelförmig	30. März 2009	04:25	Stier/Erde
Erstes Viertel	2. April 2009	14:34	Krebs/Wasser
Bucklig	6. April 2009	01:26	Jungfrau/Erde
Vollmond	9. April 2009	14:56	Waage/Luft
Schwindend	13. April 2009	10:54	Schütze/Feuer
Letztes Viertel	17. April 2009	13:36	Steinbock/Erde
Balsamisch	21. April 2009	13:26	Fische/Wasser
Schwarzmond	25. April 2009	03:22	Stier/Erde
Sichelförmig	28. April 2009	11:34	Zwillinge/Luft
Erstes Viertel	1. Mai 2009	20:45	Löwe/Feuer
Bucklig	5. Mai 2009	09:57	Waage/Luft
Vollmond	9. Mai 2009	04:02	Skorpion/Wasser
Schwindend	13. Mai 2009	04:24	Steinbock/Erde
Letztes Viertel	17. Mai 2009	07:26	Wassermann/Luft
Balsamisch	21. Mai 2009	02:55	Widder/Feuer
Schwarzmond	24. Mai 2009	12:10	Zwillinge/Luft
Sichelförmig	27. Mai 2009	17:54	Krebs/Wasser
Erstes Viertel	31. Mai 2009	03:23	Jungfrau/Erde
Bucklig	3. Juni 2009	19:37	Waage/Luft
Vollmond	7. Juni 2009	18:12	Schütze/Feuer
Schwindend	11. Juni 2009	21:13	Wassermann/Luft
Letztes Viertel	15. Juni 2009	22:13	Fische/Wasser
Balsamisch	19. Juni 2009	13:21	Stier/Erde
Schwarzmond	22. Juni 2009	19:35	Krebs/Wasser
Sichelförmig	26. Juni 2009	00:31	Löwe/Feuer
Erstes Viertel	29. Juni 2009	11:30	Waage/Luft

Phase	Datum	WEZ	Zeichen/Element
Bucklig	3. Juli 2009	07:19	Skorpion/Wasser
Vollmond	7. Juli 2009	09:22	Steinbock/Erde
Schwindend	11. Juli 2009	12:23	Fische/Wasser
Letztes Viertel	15. Juli 2009	09:52	Widder/Feuer
Balsamisch	18. Juli 2009	21:37	Zwillinge/Luft
Schwarzmond	22. Juli 2009	02:34	Krebs/Wasser
Sichelförmig	25. Juli 2009	08:17	Jungfrau/Erde
Erstes Viertel	28. Juli 2009	22:01	Skorpion/Wasser
Bucklig	1. Aug 2009	21:32	Schütze/Feuer
Vollmond	6. Aug 2009	00:54	Wassermann/Luft
Schwindend	10. Aug 2009	01:18	Widder/Feuer
Letztes Viertel	13. Aug 2009	18:55	Stier/Erde
Balsamisch	17. Aug 2009	04:41	Krebs/Wasser
Schwarzmond	20. Aug 2009	10:02	Löwe/Feuer
Sichelförmig	23. Aug 2009	18:04	Waage/Luft
Erstes Viertel	27. Aug 2009	11:43	Schütze/Feuer
Bucklig	31. Aug 2009	14:06	Steinbock/Erde
Vollmond	4. Sept 2009	16:02	Fische/Wasser
Schwindend	8. Sept 2009	12:04	Stier/Erde
Letztes Viertel	12. Sept 2009	02:15	Zwillinge/Luft
Balsamisch	15. Sept 2009	11:27	Löwe/Feuer
Schwarzmond	18. Sept 2009	18:44	Jungfrau/Erde
Sichelförmig	22. Sept 2009	06:43	Skorpion/Wasser
Erstes Viertel	26. Sept 2009	04:49	Steinbock/Erde
Bucklig	30. Sept 2009	08:08	Wassermann/Luft
Vollmond	4. Okt 2009	06:10	Widder/Feuer
Schwindend	7. Okt 2009	21:18	Stier/Erde
Letztes Viertel	11. Okt 2009	08:55	Krebs/Wasser
Balsamisch	14. Okt 2009	18:48	Jungfrau/Erde
Schwarzmond	18. Okt 2009	05:33	Waage/Luft
Sichelförmig	21. Okt 2009	22:46	Schütze/Feuer
Erstes Viertel	26. Okt 2009	00:42	Wassermann/Luft
Bucklig	30. Okt 2009	02:21	Fische/Wasser
Vollmond	2. Nov 2009	19:13	Stier/Erde
Schwindend	6. Nov 2009	05:56	Zwillinge/Luft
Letztes Viertel	9. Nov 2009	15:56	Löwe/Feuer
Balsamisch	13. Nov 2009	03:41	Waage/Luft
Schwarzmond	16. Nov 2009	19:14	Skorpion/Wasser
Sichelförmig	20. Nov 2009	17:56	Steinbock/Erde
Erstes Viertel	24. Nov 2009	21:38	Fische/Wasser
Bucklig	28. Nov 2009	19:39	Widder/Feuer
Vollmond	2. Dez 2009	07:30	Zwillinge/Luft
Schwindend	5. Dez 2009	14:49	Krebs/Wasser
Letztes Viertel	9. Dez 2009	00:14	Jungfrau/Erde
Balsamisch	12. Dez 2009	15:01	Skorpion/Wasser
Schwarzmond	16. Dez 2009	12:03	Schütze/Feuer
Sichelförmig	20. Dez 2009	14:50	Wassermann/Luft
Erstes Viertel	24. Dez 2009	17:36	Widder/Feuer
Bucklig	28. Dez 2009	11:14	Stier/Erde
Vollmond	31. Dez 2009	19:13	Krebs/Wasser

Phase	Datum	WEZ	Zeichen/Element
Schwindend	4. Jan 2010	00:28	Löwe/Feuer
Letztes Viertel	7. Jan 2010	10:40	Waage/Luft
Balsamisch	11. Jan 2010	05:29	Schütze/Feuer
Schwarzmond	15. Jan 2010	07:10	Steinbock/Erde
Sichelförmig	19. Jan 2010	11:07	Fische/Wasser
Erstes Viertel	23. Jan 2010	10:51	Stier/Erde
Bucklig	27. Jan 2010	00:41	Zwillinge/Luft
Vollmond	30. Jan 2010	06:16	Löwe/Feuer
Schwindend	2. Feb 2010	11:13	Jungfrau/Erde
Letztes Viertel	5. Feb 2010	23:49	Skorpion/Wasser
Balsamisch	9. Feb 2010	22:55	Steinbock/Erde
Schwarzmond	14. Feb 2010	02:50	Wassermann/Luft
Sichelförmig	18. Feb 2010	04:50	Widder/Feuer
Erstes Viertel	22. Feb 2010	00:40	Zwillinge/Luft
Bucklig	25. Feb 2010	11:43	Krebs/Wasser
Vollmond	28. Feb 2010	16:37	Jungfrau/Erde
Schwindend	3. März 2010	23:14	Waage/Luft
Letztes Viertel	7. März 2010	15:42	Schütze/Feuer
Balsamisch	11. März 2010	18:02	Wassermann/Luft
Schwarzmond	15. März 2010	21:00	Fische/Wasser
Sichelförmig	19. März 2010	18:58	Stier/Erde
Erstes Viertel	23. März 2010	10:58	Krebs/Wasser
Bucklig	26. März 2010	20:25	Löwe/Feuer
Vollmond	30. März 2010	02:25	Waage/Luft
Schwindend	2. April 2010	12:41	Skorpion/Wasser
Letztes Viertel	6. April 2010	09:36	Steinbock/Erde
Balsamisch	10. April 2010	12:58	Fische/Wasser
Schwarzmond	14. April 2010	12:27	Widder/Feuer
Sichelförmig	18. April 2010	05:39	Zwillinge/Luft
Erstes Viertel	21. April 2010	18:19	Löwe/Feuer
Bucklig	25. April 2010	03:23	Jungfrau/Erde
Vollmond	28. April 2010	12:18	Skorpion/Wasser
Schwindend	2. Mai 2010	03:36	Schütze/Feuer
Letztes Viertel	6. Mai 2010	04:14	Wassermann/Luft
Balsamisch	10. Mai 2010	06:14	Widder/Feuer
Schwarzmond	14. Mai 2010	01:02	Stier/Erde
Sichelförmig	17. Mai 2010	13:36	Krebs/Wasser
Erstes Viertel	20. Mai 2010	23:41	Löwe/Feuer
Bucklig	24. Mai 2010	09:48	Waage/Luft
Vollmond	27. Mai 2010	23:07	Schütze/Feuer
Schwindend	31. Mai 2010	19:41	Steinbock/Erde
Letztes Viertel	4. Juni 2010	22:12	Fische/Wasser
Balsamisch	8. Juni 2010	21:11	Stier/Erde
Schwarzmond	12. Juni 2010	11:13	Zwillinge/Luft
Sichelförmig	15. Juni 2010	19:47	Löwe/Feuer
Erstes Viertel	19. Juni 2010	04:29	Jungfrau/Erde
Bucklig	22. Juni 2010	17:02	Skorpion/Wasser
Vollmond	26. Juni 2010	11:30	Steinbock/Erde
Schwindend	30. Juni 2010	12:13	Wassermann/Luft

Phase	Datum	WEZ	Zeichen/Element
Letztes Viertel	4. Juli 2010	14:34	Widder/Feuer
Balsamisch	8. Juli 2010	09:51	Zwillinge/Luft
Schwarzmond	11. Juli 2010	19:39	Krebs/Wasser
Sichelförmig	15. Juli 2010	01:22	Jungfrau/Erde
Erstes Viertel	18. Juli 2010	10:10	Waage/Luft
Bucklig	22. Juli 2010	02:24	Schütze/Feuer
Vollmond	26. Juli 2010	01:36	Wassermann/Luft
Schwindend	30. Juli 2010	04:23	Fische/Wasser
Letztes Viertel	3. Aug 2010	04:57	Stier/Erde
Balsamisch	6. Aug 2010	20:33	Zwillinge/Luft
Schwarzmond	10. Aug 2010	03:07	Löwe/Feuer
Sichelförmig	13. Aug 2010	07:33	Waage/Luft
Erstes Viertel	16. Aug 2010	18:13	Skorpion/Wasser
Bucklig	20. Aug 2010	14:44	Steinbock/Erde
Vollmond	24. Aug 2010	17:03	Fische/Wasser
Schwindend	28. Aug 2010	19:35	Widder/Feuer
Letztes Viertel	1. Sept 2010	17:20	Zwillinge/Luft
Balsamisch	5. Sept 2010	05:44	Krebs/Wasser
Schwarzmond	8. Sept 2010	10:28	Jungfrau/Erde
Sichelförmig	11. Sept 2010	15:40	Skorpion/Wasser
Erstes Viertel	15. Sept 2010	05:49	Schütze/Feuer
Bucklig	19. Sept 2010	06:09	Wassermann/Luft
Vollmond	23. Sept 2010	09:15	Widder/Feuer
Schwindend	27. Sept 2010	09:29	Stier/Erde
Letztes Viertel	1. Okt 2010	21:43	Jungfrau/Erde
Balsamisch	4. Okt 2010	13:52	Löwe/Feuer
Schwarzmond	7. Okt 2010	18:43	Waage/Luft
Sichelförmig	11. Ok 2010	02:50	Schütze/Feuer
Erstes Viertel	14. Okt 2010	21:27	Steinbock/Erde
Bucklig	19. Okt 2010	00:07	Fische/Wasser
Vollmond	23. Okt 2010	01:34	Widder/Feuer
Schwindend	26. Okt 2010	21:57	Zwillinge/Luft
Letztes Viertel	30. Okt 2010	12:43	Löwe/Feuer
Balsamisch	2. Nov 2010	21:43	Jungfrau/Erde
Schwarzmond	6. Nov 2010	04:51	Skorpion/Wasser
Sichelförmig	9. Nov 2010	17:40	Steinbock/Erde
Erstes Viertel	13. Nov 2010	16:37	Wassermann/Luft
Bucklig	17. Nov 2010	19:34	Widder/Feuer
Vollmond	21. Nov 2010	17:26	Stier/Erde
Schwindend	25. Nov 2010	09:00	Krebs/Wasser
Letztes Viertel	28. Nov 2010	20:35	Jungfrau/Erde
Balsamisch	2. Dez 2010	06:11	Waage/Luft
Schwarzmond	5. Dez 2010	17:34	Schütze/Feuer
Sichelförmig	9. Dez 2010	11:57	Wassermann/Luft
Erstes Viertel	13. Dez 2010	13:57	Fische/Wasser
Bucklig	17. Dez 2010	15:09	Stier/Erde
Vollmond	21. Dez 2010	08:12	Zwillinge/Luft
Schwindend	24. Dez 2010	18:52	Löwe/Feuer
Letztes Viertel	28. Dez 2010	04:17	Waage/Luft
Balsamisch	31. Dez 2010	16:15	Skorpion/Wasser

Phase	Datum	WEZ	Zeichen/Element
Schwarzmond	4. Jan 2011	09:02	Steinbock/Erde
Sichelförmig	8. Jan 2011	08:19	Fische/Wasser
Erstes Viertel	12. Jan 2011	11:30	Widder/Feuer
Bucklig	16. Jan 2011	09:25	Zwillinge/Luft
Vollmond	19. Jan 2011	21:19	Krebs/Wasser
Schwindend	23. Jan 2011	03:59	Jungfrau/Erde
Letztes Viertel	26. Jan 2011	12:57	Skorpion/Wasser
Balsamisch	30. Jan 2011	04:33	Schütze/Feuer
Schwarzmond	3. Feb 2011	02:30	Wassermann/Luft
Sichelförmig	7. Feb 2011	04:56	Widder/Feuer
Erstes Viertel	11. Feb 2011	07:17	Stier/Erde
Bucklig	15. Feb 2011	01:03	Krebs/Wasser
Vollmond	18. Feb 2011	08:34	Löwe/Feuer
Schwindend	21. Feb 2011	13:06	Waage/Luft
Letztes Viertel	24. Feb 2011	23:27	Schütze/Feuer
Balsamisch	28. Feb 2011	19:09	Steinbock/Erde
Schwarzmond	4. März 2011	20:45	Fische/Wasser
Sichelförmig	9. März 2011	00:01	Stier/Erde
Erstes Viertel	12. März 2011	23:42	Zwillinge/Luft
Bucklig	16. März 2011	13:19	Löwe/Feuer
Vollmond	19. März 2011	18:09	Jungfrau/Erde
Schwindend	22. März 2011	22:52	Skorpion/Wasser
Letztes Viertel	26. März 2011	12:08	Steinbock/Erde
Balsamisch	30. März 2011	11:24	Wassermann/Luft
Schwarzmond	3. April 2011	14:31	Widder/Feuer
Sichelförmig	7. April 2011	16:14	Zwillinge/Luft
Erstes Viertel	11. April 2011	12:03	Krebs/Wasser
Bucklig	14. April 2011	22:22	Jungfrau/Erde
Vollmond	18. April 2011	02:43	Waage/Luft
Schwindend	21. April 2011	09:47	Schütze/Feuer
Letztes Viertel	25. April 2011	02:47	Wassermann/Luft
Balsamisch	29. April 2011	04:26	Fische/Wasser
Schwarzmond	3. Mai 2011	06:49	Stier/Erde
Sichelförmig	7. Mai 2011	04:58	Krebs/Wasser
Erstes Viertel	10. Mai 2011	20:31	Löwe/Feuer
Bucklig	14. Mai 2011	05:05	Waage/Luft
Vollmond	17. Mai 2011	11:08	Skorpion/Wasser
Schwindend	20. Mai 2011	22:07	Steinbock/Erde
Letztes Viertel	24. Mai 2011	18:51	Fische/Wasser
Balsamisch	28. Mai 2011	21:24	Widder/Feuer
Schwarzmond	1. Juni 2011	21:01	Zwillinge/Luft
Sichelförmig	5. Juni 2011	14:18	Krebs/Wasser
Erstes Viertel	9. Juni 2011	02:09	Jungfrau/Erde
Bucklig	12. Juni 2011	10:46	Skorpion/Wasser
Vollmond	15. Juni 2011	20:13	Schütze/Feuer
Schwindend	19. Juni 2011	11:50	Wassermann/Luft
Letztes Viertel	23. Juni 2011	11:47	Widder/Feuer
Balsamisch	27. Juni 2011	13:37	Stier/Erde

Phase	Datum	WEZ	Zeichen/Element
Schwarzmond	1. Juli 2011	08:52	Krebs/Wasser
Sichelförmig	4. Juli 2011	21:04	Löwe/Feuer
Erstes Viertel	8. Juli 2011	06:28	Waage/Luft
Bucklig	11. Juli 2011	16:46	Schütze/Feuer
Vollmond	15. Juli 2011	06:39	Steinbock/Erde
Schwindend	19. Juli 2011	02:55	Fische/Wasser
Letztes Viertel	23. Juli 2011	05:01	Stier/Erde
Balsamisch	27. Juli 2011	04:31	Zwillinge/Luft
Schwarzmond	30. Juli 2011	18:38	Löwe/Feuer
Sichelförmig	3. Aug 2011	02:34	Jungfrau/Erde
Erstes Viertel	6. Aug 2011	11:08	Skorpion/Wasser
Bucklig	10. Aug 2011	00:22	Steinbock/Erde
Vollmond	13. Aug 2011	18:57	Wassermann/Luft
Schwindend	17. Aug 2011	19:10	Widder/Feuer
Letztes Viertel	21. Aug 2011	21:53	Stier/Erde
Balsamisch	25. Aug 2011	17:43	Krebs/Wasser
Schwarzmond	29. Aug 2011	03:02	Jungfrau/Erde
Sichelförmig	1. Sept 2011	08:18	Waage/Luft
Erstes Viertel	4. Sept 2011	17:38	Schütze/Feuer
Bucklig	8. Sept 2011	10:32	Wassermann/Luft
Vollmond	12. Sept 2011	09:26	Fische/Wasser
Schwindend	16. Sept 2011	12:14	Stier/Erde
Letztes Viertel	20. Sept 2011	13:36	Zwillinge/Luft
Balsamisch	24. Sept 2011	05:12	Löwe/Feuer
Schwarzmond	27. Sept 2011	11:07	Waage/Luft
Sichelförmig	30. Sept 2011	15:42	Skorpion/Wasser
Erstes Viertel	4. Okt 2011	03:15	Steinbock/Erde
Bucklig	7. Okt 2011	23:58	Wassermann/Luft
Vollmond	12. Okt 2011	02:04	Widder/Feuer
Schwindend	16. Okt 2011	05:15	Zwillinge/Luft
Letztes Viertel	20. Okt 2011	03:28	Krebs/Wasser
Balsamisch	23. Okt 2011	15:21	Jungfrau/Erde
Schwarzmond	26. Okt 2011	19:55	Skorpion/Wasser
Sichelförmig	30. Okt 2011	01:50	Schütze/Feuer
Erstes Viertel	2. Nov 2011	16:37	Wassermann/Luft
Bucklig	6. Nov 2011	16:51	Fische/Wasser
Vollmond	10. Nov 2011	20:14	Stier/Erde
Schwindend	14. Nov 2011	21:04	Krebs/Wasser
Letztes Viertel	18. Nov 2011	15:07	Löwe/Feuer
Balsamisch	22. Nov 2011	00:44	Waage/Luft
Schwarzmond	25. Nov 2011	06:08	Schütze/Feuer
Sichelförmig	28. Nov 2011	15:06	Steinbock/Erde
Erstes Viertel	2. Dez 2011	09:52	Fische/Wasser
Bucklig	6. Dez 2011	12:35	Widder/Feuer
Vollmond	10. Dez 2011	14:34	Zwillinge/Luft
Schwindend	14. Dez 2011	10:45	Löwe/Feuer
Letztes Viertel	18. Dez 2011	00:45	Jungfrau/Erde
Balsamisch	21. Dez 2011	09:57	Skorpion/Wasser
Schwarzmond	24. Dez 2011	18:05	Steinbock/Erde
Sichelförmig	28. Dez 2011	07:22	Wassermann/Luft

Phase	Datum	WEZ	Zeichen/Element
Erstes Viertel	1. Jan 2012	06:13	Widder/Feuer
Bucklig	5. Jan 2012	09:36	Stier/Erde
Vollmond	9. Jan 2012	07:28	Krebs/Wasser
Schwindend	12. Jan 2012	22:03	Jungfrau/Erde
Letztes Viertel	16. Jan 2012	09:06	Waage/Luft
Balsamisch	19. Jan 2012	19:29	Schütze/Feuer
Schwarzmond	23. Jan 2012	07:39	Wassermann/Luft
Sichelförmig	27. Jan 2012	01:57	Fische/Wasser
Erstes Viertel	31. Jan 2012	04:09	Stier/Erde
Bucklig	4. Feb 2012	05:40	Zwillinge/Luft
Vollmond	7. Feb 2012	21:52	Löwe/Feuer
Schwindend	11. Feb 2012	07:30	Waage/Luft
Letztes Viertel	14. Feb 2012	17:03	Skorpion/Wasser
Balsamisch	18. Feb 2012	05:44	Steinbock/Erde
Schwarzmond	21. Feb 2012	22:34	Fische/Wasser
Sichelförmig	25. Feb 2012	21:45	Widder/Feuer
Erstes Viertel	1. März 2012	01:20	Zwillinge/Luft
Bucklig	4. März 2012	22:50	Krebs/Wasser
Vollmond	8. März 2012	09:38	Jungfrau/Erde
Schwindend	11. März 2012	15:57	Skorpion/Wasser
Letztes Viertel	15. März 2012	01:25	Schütze/Feuer
Balsamisch	18. März 2012	17:05	Wassermann/Luft
Schwarzmond	22. März 2012	14:37	Widder/Feuer
Sichelförmig	26. März 2012	17:17	Stier/Erde
Erstes Viertel	30. März 2012	19:39	Krebs/Wasser
Bucklig	3. April 2012	12:23	Löwe/Feuer
Vollmond	6. April 2012	19:17	Waage/Luft
Schwindend	10. April 2012	00:13	Schütze/Feuer
Letztes Viertel	13. April 2012	10:50	Steinbock/Erde
Balsamisch	17. April 2012	05:54	Fische/Wasser
Schwarzmond	21. April 2012	07:17	Stier/Erde
Sichelförmig	25. April 2012	10:54	Zwillinge/Luft
Erstes Viertel	29. April 2012	09:55	Löwe/Feuer
Bucklig	2. Mai 2012	22:35	Jungfrau/Erde
Vollmond	6. Mai 2012	03:34	Skorpion/Wasser
Schwindend	9. Mai 2012	08:50	Steinbock/Erde
Letztes Viertel	12. Mai 2012	21:47	Wassermann/Luft
Balsamisch	16. Mai 2012	20:23	Widder/Feuer
Schwarzmond	20. Mai 2012	23:46	Zwillinge/Luft
Sichelförmig	25. Mai 2012	01:25	Krebs/Wasser
Erstes Viertel	28. Mai 2012	20:14	Jungfrau/Erde
Bucklig	1. Juni 2012	06:16	Waage/Luft
Vollmond	4. Juni 2012	11:11	Schütze/Feuer
Schwindend	7. Juni 2012	18:21	Wassermann/Luft
Letztes Viertel	11. Juni 2012	10:41	Fische/Wasser
Balsamisch	15. Juni 2012	12:16	Stier/Erde
Schwarzmond	19. Juni 2012	15:01	Zwillinge/Luft
Sichelförmig	23. Juni 2012	12:34	Löwe/Feuer
Erstes Viertel	27. Juni 2012	03:29	Waage/Luft
Bucklig	30. Juni 2012	12:25	Skorpion/Wasser

Phase	Datum	WEZ	Zeichen/Element
Vollmond	3. Juli 2012	18:51	Steinbock/Erde
Schwindend	7. Juli 2012	05:22	Fische/Wasser
Letztes Viertel	11. Juli 2012	01:47	Widder/Feuer
Balsamisch	15. Juli 2012	04:51	Zwillinge/Luft
Schwarzmond	19. Juli 2012	04:23	Krebs/Wasser
Sichelförmig	22. Juli 2012	20:58	Jungfrau/Erde
Erstes Viertel	26. Juli 2012	08:55	Skorpion/Wasser
Bucklig	29. Juli 2012	18:08	Schütze/Feuer
Vollmond	2. Aug 2012	03:27	Wassermann/Luft
Schwindend	5. Aug 2012	18:33	Fische/Wasser
Letztes Viertel	9. Aug 2012	18:54	Stier/Erde
Balsamisch	13. Aug 2012	21:12	Krebs/Wasser
Schwarzmond	17. Aug 2012	15:53	Löwe/Feuer
Sichelförmig	21. Aug 2012	03:49	Waage/Luft
Erstes Viertel	24. Aug 2012	13:53	Schütze/Feuer
Bucklig	28. Aug 2012	00:32	Steinbock/Erde
Vollmond	31. Aug 2012	13:58	Fische/Wasser
Schwindend	4. Sept 2012	10:19	Widder/Feuer
Letztes Viertel	8. Sept 2012	13:14	Zwillinge/Luft
Balsamisch	12. Sept 2012	12:35	Löwe/Feuer
Schwarzmond	16. Sept 2012	02:09	Jungfrau/Erde
Sichelförmig	19. Sept 2012	10:25	Skorpion/Wasser
Erstes Viertel	22. Sept 2012	19:40	Steinbock/Erde
Bucklig	26. Sept 2012	08:51	Wassermann/Luft
Vollmond	30. Sept 2012	03:18	Widder/Feuer
Schwindend	4. Okt 2012	04:21	Stier/Erde
Letztes Viertel	8. Okt 2012	07:32	Krebs/Wasser
Balsamisch	12. Okt 2012	02:46	Jungfrau/Erde
Schwarzmond	15. Okt 2012	12:01	Waage/Luft
Sichelförmig	18. Okt 2012	17:54	Schütze/Feuer
Erstes Viertel	22. Okt 2012	03:32	Steinbock/Erde
Bucklig	25. Okt 2012	20:17	Fische/Wasser
Vollmond	29. Okt 2012	19:47	Stier/Erde
Schwindend	2. Nov 2012	23:29	Zwillinge/Luft
Letztes Viertel	7. Nov 2012	00:33	Löwe/Feuer
Balsamisch	10. Nov 2012	15:45	Waage/Luft
Schwarzmond	13. Nov 2012	22:07	Skorpion/Wasser
Sichelförmig	17. Nov 2012	03:07	Steinbock/Erde
Erstes Viertel	20. Nov 2012	14:31	Wassermann/Luft
Bucklig	24. Nov 2012	11:36	Widder/Feuer
Vollmond	28. Nov 2012	14:45	Zwillinge/Luft
Schwindend	2. Dez 2012	17:58	Krebs/Wasser
Letztes Viertel	6. Dez 2012	15:29	Jungfrau/Erde
Balsamisch	10. Dez 2012	03:34	Skorpion/Wasser
Schwarzmond	13. Dez 2012	08:40	Schütze/Feuer
Sichelförmig	16. Dez 2012	14:33	Wassermann/Luft
Erstes Viertel	20. Dez 2012	05:18	Fische/Wasser
Bucklig	24. Dez 2012	06:28	Stier/Erde
Vollmond	28. Dez 2012	10:20	Krebs/Wasser

Phase	Datum	WEZ	Zeichen/Element
Schwindend	1. Jan 2013	10:17	Löwe/Feuer
Letztes Viertel	5. Jan 2013	03:56	Waage/Luft
Balsamisch	8. Jan 2013	14:06	Schütze/Feuer
Schwarzmond	11. Jan 2013	19:43	Steinbock/Erde
Sichelförmig	15. Jan 2013	04:27	Fische/Wasser
Erstes Viertel	18. Jan 2013	23:45	Widder/Feuer
Bucklig	23. Jan 2013	03:17	Zwillinge/Luft
Vollmond	27. Jan 2013	04:37	Löwe/Feuer
Schwindend	30. Jan 2013	23:47	Jungfrau/Erde
Letztes Viertel	3. Feb 2013	13:54	Skorpion/Wasser
Balsamisch	6. Feb 2013	23:25	Steinbock/Erde
Schwarzmond	10. Feb 2013	07:19	Wassermann/Luft
Sichelförmig	13. Feb 2013	20:46	Widder/Feuer
Erstes Viertel	17. Feb 2013	20:30	Stier/Erde
Bucklig	21. Feb 2013	23:42	Krebs/Wasser
Vollmond	25. Feb 2013	20:24	Jungfrau/Erde
Schwindend	1. März 2013	10:36	Waage/Luft
Letztes Viertel	4. März 2013	21:51	Schütze/Feuer
Balsamisch	8. März 2013	07:56	Wassermann/Luft
Schwarzmond	11. März 2013	19:51	Fische/Wasser
Sichelförmig	15. März 2013	14:51	Stier/Erde
Erstes Viertel	19. März 2013	17:26	Zwillinge/Luft
Bucklig	23. März 2013	17:55	Löwe/Feuer
Vollmond	27. März 2013	09:26	Waage/Luft
Schwindend	30. März 2013	19:14	Skorpion/Wasser
Letztes Viertel	3. April 2013	04:36	Steinbock/Erde
Balsamisch	6. April 2013	16:35	Fische/Wasser
Schwarzmond	10. April 2013	09:35	Widder/Feuer
Sichelförmig	14. April 2013	09:28	Zwillinge/Luft
Erstes Viertel	18. April 2013	12:29	Krebs/Wasser
Bucklig	22. April 2013	09:02	Jungfrau/Erde
Vollmond	25. April 2013	19:56	Skorpion/Wasser
Schwindend	29. April 2013	02:26	Schütze/Feuer
Letztes Viertel	2. Mai 2013	11:14	Wassermann/Luft
Balsamisch	6. Mai 2013	02:25	Widder/Feuer
Schwarzmond	10. Mai 2013	00:28	Stier/Erde
Sichelförmig	14. Mai 2013	03:11	Krebs/Wasser
Erstes Viertel	18. Mai 2013	04:33	Löwe/Feuer
Bucklig	21. Mai 2013	21:05	Waage/Luft
Vollmond	25. Mai 2013	04:24	Schütze/Feuer
Schwindend	28. Mai 2013	09:04	Steinbock/Erde
Letztes Viertel	31. Mai 2013	18:57	Fische/Wasser
Balsamisch	4. Juni 2013	14:09	Widder/Feuer
Schwarzmond	8. Juni 2013	15:56	Zwillinge/Luft
Sichelförmig	12. Juni 2013	18:54	Löwe/Feuer
Erstes Viertel	16. Juni 2013	17:22	Jungfrau/Erde
Bucklig	20. Juni 2013	06:27	Skorpion/Wasser
Vollmond	23. Juni 2013	11:31	Steinbock/Erde
Schwindend	26. Juni 2013	16:11	Wassermann/Luft
Letztes Viertel	30. Juni 2013	04:53	Widder/Feuer

Phase	Datum	WEZ	Zeichen/Element
Balsamisch	4. Juli 2013	04:01	Stier/Erde
Schwarzmond	8. Juli 2013	07:13	Krebs/Wasser
Sichelförmig	12. Juli 2013	08:13	Jungfrau/Erde
Erstes Viertel	16. Juli 2013	03:16	Waage/Luft
Bucklig	19. Juli 2013	13:43	Schütze/Feuer
Vollmond	22. Juli 2013	18:14	Wassermann/Luft
Schwindend	26. Juli 2013	00:59	Fische/Wasser
Letztes Viertel	29. Juli 2013	17:43	Stier/Erde
Balsamisch	2. Aug 2013	19:40	Zwillinge/Luft
Schwarzmond	6. Aug 2013	21:49	Löwe/Feuer
Sichelförmig	10. Aug 2013	19:19	Waage/Luft
Erstes Viertel	14. Aug 2013	10:54	Skorpion/Wasser
Bucklig	17. Aug 2013	19:51	Steinbock/Erde
Vollmond	21. Aug 2013	01:44	Wassermann/Luft
Schwindend	24. Aug 2013	12:26	Widder/Feuer
Letztes Viertel	28. Aug 2013	09:34	Zwillinge/Luft
Balsamisch	1. Sept 2013	12:28	Krebs/Wasser
Schwarzmond	5. Sept 2013	11:35	Jungfrau/Erde
Sichelförmig	9. Sept 2013	04:43	Skorpion/Wasser
Erstes Viertel	12. Sept 2013	17:07	Schütze/Feuer
Bucklig	16. Sept 2013	01:59	Wassermann/Luft
Vollmond	19. Sept 2013	11:13	Fische/Wasser
Schwindend	23. Sept 2013	03:08	Stier/Erde
Letztes Viertel	27. Sept 2013	03:55	Krebs/Wasser
Balsamisch	1. Okt 2013	05:45	Löwe/Feuer
Schwarzmond	5. Okt 2013	00:33	Waage/Luft
Sichelförmig	8. Okt 2013	13:03	Schütze/Feuer
Erstes Viertel	11. Okt 2013	23:01	Steinbock/Erde
Bucklig	15. Okt 2013	09:28	Fische/Wasser
Vollmond	18. Okt 2013	23:38	Widder/Feuer
Schwindend	22. Okt 2013	20:53	Zwillinge/Luft
Letztes Viertel	26. Okt 2013	23:39	Löwe/Feuer
Balsamisch	30. Okt 2013	22:50	Jungfrau/Erde
Schwarzmond	3. Nov 2013	12:48	Skorpion/Wasser
Sichelförmig	6. Nov 2013	21:05	Schütze/Feuer
Erstes Viertel	10. Nov 2013	05:56	Wassermann/Luft
Bucklig	13. Nov 2013	19:35	Widder/Feuer
Vollmond	17. Nov 2013	15:15	Stier/Erde
Schwindend	21. Nov 2013	16:37	Krebs/Wasser
Letztes Viertel	25. Nov 2013	19:27	Jungfrau/Erde
Balsamisch	29. Nov 2013	14:58	Waage/Luft
Schwarzmond	3. Dez 2013	00:21	Schütze/Feuer
Sichelförmig	6. Dez 2013	05:41	Steinbock/Erde
Erstes Viertel	9. Dez 2013	15:11	Fische/Wasser
Bucklig	13. Dez 2013	09:05	Stier/Erde
Vollmond	17. Dez 2013	09:27	Zwillinge/Luft
Schwindend	21. Dez 2013	12:44	Löwe/Feuer
Letztes Viertel	25. Dez 2013	13:45	Waage/Luft
Balsamisch	29. Dez 2013	05:17	Skorpion/Wasser

Phase	Datum	WEZ	Zeichen/Element	Phase	Datum	WEZ	Zeichen/Element
Schwarzmond	1. Jan 2014	11:13	Steinbock/Erde	Sichelförmig	1. Juli 2014	10:15	Löwe/Feuer
Sichelförmig	4. Jan 2014	15:40	Wassermann/Luft	Erstes Viertel	5. Juli 2014	11:56	Waage/Luft
Erstes Viertel	8. Jan 2014	03:39	Widder/Feuer	Bucklig	9. Juli 2014	04:41	Schütze/Feuer
Bucklig	12. Jan 2014	01:50	Zwillinge/Luft	Vollmond	12. Juli 2014	11:23	Steinbock/Erde
Vollmond	16. Jan 2014	04:51	Krebs/Wasser	Schwindend	15. Juli 2014	15:44	Fische/Wasser
Schwindend	20. Jan 2014	07:33	Jungfrau/Erde	Letztes Viertel	19. Juli 2014	02:08	Widder/Feuer
Letztes Viertel	24. Jan 2014	05:17	Skorpion/Wasser	Balsamisch	22. Juli 2014	21:31	Zwillinge/Luft
Balsamisch	27. Jan 2014	17:10	Schütze/Feuer	Schwarzmond	26. Juli 2014	22:41	Löwe/Feuer
Schwarzmond	30. Jan 2014	21:37	Wassermann/Luft	Sichelförmig	31. Juli 2014	01:42	Jungfrau/Erde
Sichelförmig	3. Feb 2014	03:35	Fische/Wasser	Erstes Viertel	4. Aug 2014	00:47	Skorpion/Wasser
Erstes Viertel	6. Feb 2014	19:21	Stier/Erde	Bucklig	7. Aug 2014	13:34	Schütze/Feuer
Bucklig	10. Feb 2014	20:45	Krebs/Wasser	Vollmond	10. Aug 2014	18:08	Wassermann/Luft
Vollmond	14. Feb 2014	23:51	Löwe/Feuer	Schwindend	13. Aug 2014	23:07	Widder/Feuer
Schwindend	18. Feb 2014	23:39	Waage/Luft	Letztes Viertel	17. Aug 2014	12:26	Stier/Erde
Letztes Viertel	22. Feb 2014	17:14	Schütze/Feuer	Balsamisch	21. Aug 2014	11:16	Krebs/Wasser
Balsamisch	26. Feb 2014	02:39	Steinbock/Erde	Schwarzmond	25. Aug 2014	14:11	Jungfrau/Erde
				Sichelförmig	29. Aug 2014	15:50	Waage/Luft
Schwarzmond	1. März 2014	07:59	Fische/Wasser				
Sichelförmig	4. März 2014	17:31	Widder/Feuer	Erstes Viertel	2. Sept 2014	11:08	Schütze/Feuer
Erstes Viertel	8. März 2014	13:26	Zwillinge/Luft	Bucklig	5. Sept 2014	21:04	Steinbock/Erde
Bucklig	12. März 2014	16:16	Löwe/Feuer	Vollmond	9. Sept 2014	01:37	Fische/Wasser
Vollmond	16. März 2014	17:07	Jungfrau/Erde	Schwindend	12. Sept 2014	09:04	Stier/Erde
Schwindend	20. März 2014	12:18	Skorpion/Wasser	Letztes Viertel	16. Sept 2014	02:05	Zwillinge/Luft
Letztes Viertel	24. März 2014	01:44	Steinbock/Erde	Balsamisch	20. Sept 2014	03:39	Löwe/Feuer
Balsamisch	27. März 2014	10:27	Wassermann/Luft	Schwarzmond	24. Sept 2014	06:12	Waage/Luft
Schwarzmond	30. März 2014	18:44	Widder/Feuer	Sichelförmig	28. Sept 2014	04:14	Skorpion/Wasser
Sichelförmig	3. April 2014	09:03	Stier/Erde	Erstes Viertel	1. Okt 2014	19:31	Steinbock/Erde
Erstes Viertel	7. April 2014	08:29	Krebs/Wasser	Bucklig	5. Okt 2014	04:15	Wassermann/Luft
Bucklig	11. April 2014	10:55	Jungfrau/Erde	Vollmond	8. Okt 2014	10:50	Widder/Feuer
Vollmond	15. April 2014	07:40	Waage/Luft	Schwindend	11. Okt 2014	22:10	Zwillinge/Luft
Schwindend	18. April 2014	21:36	Schütze/Feuer	Letztes Viertel	15. Okt 2014	19:11	Krebs/Wasser
Letztes Viertel	22. April 2014	07:50	Wassermann/Luft	Balsamisch	19. Okt 2014	22:12	Jungfrau/Erde
Balsamisch	25. April 2014	17:36	Fische/Wasser	Schwarzmond	23. Okt 2014	21:55	Skorpion/Wasser
Schwarzmond	29. April 2014	06:13	Stier/Erde	Sichelförmig	27. Okt 2014	14:51	Schütze/Feuer
				Erstes Viertel	31. Okt 2014	02:47	Wassermann/Luft
Sichelförmig	3. Mai 2014	01:26	Zwillinge/Luft				
Erstes Viertel	7. Mai 2014	03:14	Löwe/Feuer	Bucklig	3. Nov 2014	12:09	Fische/Wasser
Bucklig	11. Mai 2014	03:33	Waage/Luft	Vollmond	6. Nov 2014	22:22	Stier/Erde
Vollmond	14. Mai 2014	19:14	Skorpion/Wasser	Schwindend	10. Nov 2014	14:30	Krebs/Wasser
Schwindend	18. Mai 2014	04:22	Steinbock/Erde	letztes Viertel	14. Nov 2014	15:14	Löwe/Feuer
Letztes Viertel	21. Mai 2014	12:58	Fische/Wasser	Balsamisch	18. Nov 2014	17:41	Waage/Luft
Balsamisch	25. Mai 2014	01:15	Widder/Feuer	Schwarzmond	22. Nov 2014	12:30	Schütze/Feuer
Schwarzmond	28. Mai 2014	18:39	Zwillinge/Luft	Sichelförmig	26. Nov 2014	00:11	Steinbock/Erde
				Erstes Viertel	29. Nov 2014	10:05	Fische/Wasser
Sichelförmig	1. Juni 2014	18:00	Krebs/Wasser				
Erstes Viertel	5. Juni 2014	20:37	Jungfrau/Erde	Bucklig	2. Dez 2014	21:35	Widder/Feuer
Bucklig	9. Juni 2014	17:31	Skorpion/Wasser	Vollmond	6. Dez 2014	12:26	Zwillinge/Luft
Vollmond	13. Juni 2014	04:10	Schütze/Feuer	Schwindend	10. Dez 2014	09:37	Löwe/Feuer
Schwindend	16. Juni 2014	09:55	Wassermann/Luft	Letztes Viertel	14. Dez 2014	12:49	Jungfrau/Erde
Letztes Viertel	19. Juni 2014	18:37	Fische/Wasser	Balsamisch	18. Dez 2014	12:23	Skorpion/Wasser
Balsamisch	23. Juni 2014	10:19	Stier/Erde	Schwarzmond	22. Dez 2014	01:33	Steinbock/Erde
Schwarzmond	27. Juni 2014	08:07	Krebs/Wasser	Sichelförmig	25. Dez 2014	09:07	Wassermann/Luft
				Erstes Viertel	28. Dez 2014	18:30	Widder/Feuer

Phase	Datum	WEZ	Zeichen/Element
Bucklig	1. Jan 2015	09:06	Stier/Erde
Vollmond	5. Jan 2015	04:52	Krebs/Wasser
Schwindend	9. Jan 2015	06:21	Jungfrau/Erde
Letztes Viertel	13. Jan 2015	09:44	Waage/Luft
Balsamisch	17. Jan 2015	04:49	Schütze/Feuer
Schwarzmond	20. Jan 2015	13:12	Wassermann/Luft
Sichelförmig	23. Jan 2015	18:29	Fische/Wasser
Erstes Viertel	27. Jan 2015	04:47	Stier/Erde
Bucklig	30. Jan 2015	22:57	Zwillinge/Luft
Vollmond	3. Feb 2015	23:08	Löwe/Feuer
Schwindend	8. Feb 2015	02:50	Waage/Luft
Letztes Viertel	12. Feb 2015	03:47	Skorpion/Wasser
Balsamisch	15. Feb 2015	18:15	Steinbock/Erde
Schwarzmond	18. Feb 2015	23:45	Fische/Wasser
Sichelförmig	22. Feb 2015	04:49	Widder/Feuer
Erstes Viertel	25. Feb 2015	17:13	Zwillinge/Luft
Bucklig	1. März 2015	15:00	Krebs/Wasser
Vollmond	5. März 2015	18:04	Jungfrau/Erde
Schwindend	9. März 2015	20:59	Skorpion/Wasser
Letztes Viertel	13. März 2015	17:46	Schütze/Feuer
Balsamisch	17. März 2015	04:46	Wassermann/Luft
Schwarzmond	20. März 2015	09:35	Fische/Wasser
Sichelförmig	23. März 2015	16:11	Stier/Erde
Erstes Viertel	27. März 2015	07:41	Krebs/Wasser
Bucklig	31. März 2015	08:40	Löwe/Feuer
Vollmond	4. April 2015	12:03	Waage/Luft
Schwindend	8. April 2015	11:21	Schütze/Feuer
Letztes Viertel	12. April 2015	03:42	Steinbock/Erde
Balsamisch	15. April 2015	12:57	Fische/Wasser
Schwarzmond	18. April 2015	18:55	Widder/Feuer
Sichelförmig	22. April 2015	04:33	Zwillinge/Luft
Erstes Viertel	25. April 2015	23:54	Löwe/Feuer
Bucklig	30. April 2015	02:48	Jungfrau/Erde
Vollmond	4. Mai 2015	03:40	Skorpion/Wasser
Schwindend	7. Mai 2015	21:51	Steinbock/Erde
Letztes Viertel	11. Mai 2015	10:34	Wassermann/Luft
Balsamisch	14. Mai 2015	19:39	Widder/Feuer
Schwarzmond	18. Mai 2015	04:12	Stier/Erde
Sichelförmig	21. Mai 2015	18:01	Krebs/Wasser
Erstes Viertel	25. Mai 2015	17:17	Jungfrau/Erde
Bucklig	29. Mai 2015	20:03	Waage/Luft
Vollmond	2. Juni 2015	16:17	Schütze/Feuer
Schwindend	6. Juni 2015	05:22	Wassermann/Luft
Letztes Viertel	9. Juni 2015	15:40	Fische/Wasser
Balsamisch	13. Juni 2015	01:49	Stier/Erde
Schwarzmond	16. Juni 2015	14:04	Zwillinge/Luft
Sichelförmig	20. Juni 2015	08:50	Löwe/Feuer
Erstes Viertel	24. Juni 2015	11:01	Waage/Luft
Bucklig	28. Juni 2015	11:21	Skorpion/Wasser

Phase	Datum	WEZ	Zeichen/Element
Vollmond	2. Juli 2015	02:17	Steinbock/Erde
Schwindend	5. Juli 2015	11:15	Wassermann/Luft
Letztes Viertel	8. Juli 2015	20:23	Widder/Feuer
Balsamisch	12. Juli 2015	08:36	Zwillinge/Luft
Schwarzmond	16. Juli 2015	01:24	Krebs/Wasser
Sichelförmig	20. Juli 2015	00:54	Jungfrau/Erde
Erstes Viertel	24. Juli 2015	04:02	Skorpion/Wasser
Bucklig	28. Juli 2015	00:26	Schütze/Feuer
Vollmond	31. Juli 2015	10:41	Wassermann/Luft
Schwindend	3. Aug 2015	16:54	Fische/Wasser
Letztes Viertel	7. Aug 2015	02:02	Stier/Erde
Balsamisch	10. Aug 2015	17:15	Krebs/Wasser
Schwarzmond	14. Aug 2015	14:52	Löwe/Feuer
Sichelförmig	18. Aug 2015	17:42	Waage/Luft
Erstes Viertel	22. Aug 2015	19:29	Skorpion/Wasser
Bucklig	26. Aug 2015	11:39	Steinbock/Erde
Vollmond	29. Aug 2015	18:34	Fische/Wasser
Schwindend	1. Sept 2015	23:31	Widder/Feuer
Letztes Viertel	5. Sept 2015	09:54	Zwillinge/Luft
Balsamisch	9. Sept 2015	04:56	Löwe/Feuer
Schwarzmond	13. Sept 2015	06:40	Jungfrau/Erde
Sichelförmig	17. Sept 2015	10:16	Skorpion/Wasser
Erstes Viertel	21. Sept 2015	08:56	Schütze/Feuer
Bucklig	24. Sept 2015	21:38	Wassermann/Luft
Vollmond	28. Sept 2015	02:49	Widder/Feuer
Schwindend	1. Okt 2015	08:04	Stier/Erde
Letztes Viertel	4. Okt 2015	21:06	Krebs/Wasser
Balsamisch	8. Okt 2015	20:17	Jungfrau/Erde
Schwarzmond	13. Okt 2015	00:04	Waage/Luft
Sichelförmig	17. Okt 2015	01:34	Schütze/Feuer
Erstes Viertel	20. Okt 2015	20:29	Steinbock/Erde
Bucklig	24. Okt 2015	06:57	Fische/Wasser
Vollmond	27. Okt 2015	12:04	Stier/Erde
Schwindend	30. Okt 2015	19:20	Zwillinge/Luft
Letztes Viertel	3. Nov 2015	12:24	Löwe/Feuer
Balsamisch	7. Nov 2015	14:57	Jungfrau/Erde
Schwarzmond	11. Nov 2015	17:46	Skorpion/Wasser
Sichelförmig	15. Nov 2015	15:04	Steinbock/Erde
Erstes Viertel	19. Nov 2015	06:25	Wassermann/Luft
Bucklig	22. Nov 2015	15:58	Widder/Feuer
Vollmond	25. Nov 2015	22:43	Zwillinge/Luft
Schwindend	29. Nov 2015	09:53	Krebs/Wasser
Letztes Viertel	3. Dez 2015	07:39	Jungfrau/Erde
Balsamisch	7. Dez 2015	11:26	Skorpion/Wasser
Schwarzmond	11. Dez 2015	10:27	Schütze/Feuer
Sichelförmig	15. Dez 2015	02:46	Wassermann/Luft
Erstes Viertel	18. Dez 2015	15:12	Fische/Wasser
Bucklig	22. Dez 2015	01:05	Stier/Erde
Vollmond	25. Dez 2015	11:11	Krebs/Wasser
Schwindend	29. Dez 2015	03:42	Löwe/Feuer

WEITERFÜHRENDE LITERATUR

Barret, Francis, *The Magus or Celestial Intelligencer,*
Lackrington, Allen und Co., London, 1801
Rudyar, Dane, *The Lunation Cycle*, Shambala, Berkeley, Kalifornien, 1971
Volguine, A., *Lunar Astrology*, ASI Publishers Inc., New York, 1974

Internetseiten über das *Mondorakel* und andere Arbeiten der Autoren

http://www.luna.clara.net/moon/index.htm
http://www.luna.clara.net/occult/index.htm
http://www.sun.clara.net/tarot/index.htm